# TIPS
## EFECTIVOS

## para mejorar sus respuestas en
# entrevistas
# de trabajo

Traducción: **Francisco Flores**

# TIPS
## EFECTIVOS

## para mejorar sus respuestas en
# entrevistas
# de trabajo

## Susan Hodgson

**EDITORIAL TRILLAS**

México, Argentina, España,
Colombia, Puerto Rico, Venezuela ®

**Catalogación en la fuente**

Hodgson, Susan
    Tips efectivos para mejorar sus respuestas en
entrevistas de trabajo. -- México : Trillas, 2013.
    255 p. ; 23 cm. -- (Tips efectivos)
    Traducción de: Brilliant answers to tough
interview questions
    Incluye índices
    ISBN 978-607-17-1567-8

    1. Entrevistas - Manuales, etc. 2. Personal -
Dirección. 3. Comunicación en la administración.
I. t.

D- 650.14'H833t        LC- HF5549.5.I6'H6.8

Título original: Brilliant answers to
tough interview questions
versión autorizada en español de la
cuarta edición publicada por
Pearson Education Limited.
Edinburgh Gate, Harlow, CM20 2JE,
www.pearsoned.co.uk
© Pearson Education Limited, 2002-2011

División Administrativa,
Av. Río Churubusco 385,
Col. Gral. Pedro María Anaya,
C. P. 03340, México, D. F.
Tel. 56884233, FAX 56041364
churubusco@trillas.mx

División Logística,
Calzada de la Viga 1132,
C. P. 09439, México, D. F.
Tel. 56330995, FAX 56330870
laviga@trillas.mx

Tienda en línea
www.trillas.mx
www.etrillas.mx

Miembro de la Cámara Nacional de
la Industria Editorial
Reg. núm. 158

Primera edición en español, junio 2013
ISBN 978-607-17-1567-8

Impreso en México
Printed in Mexico

# Índice de contenido

# Acerca de la autora

Susan Hodgson era jefa del Servicio de Carreras en la Universidad de South Bank en Londres. Allí enseñó a los estudiantes habilidades para la búsqueda de empleo y los entrenó en técnicas de entrevista. Trabajó con una amplia gama de empleadores para asegurarse que sabía con exactitud lo que ellos estaban buscando. Ha trabajado con gente que desertó de la escuela, estudiantes universitarios y con profesionales que buscan cambiar de carrera.

Hodgson escribe sobre muchas carreras y temas de empleo (ha escrito artículos, material para sitios web y libros). Actualmente trabaja como consultora de profesiones y escritora independiente; vive en Dorset.

# Agradecimientos

Gracias a Andrew Chapman, John Dean, Robert Fox, Diane Goff, Geoff Hodgson, Margaret Holbrough, Jo Horne, Andrew Perrins y Joan Sanders.

# Introducción

## ESTABLECIENDO LA ESCENA

Estar sentado en la sala de espera del dentista, realizar su prueba de conducir, entregar un examen, salir de la tienda de teléfonos celulares sin un nuevo contrato o atender una entrevista de trabajo son experiencias familiares para gran parte de la gente. También generan reacciones predecibles en la mayoría de nosotros: una sensación de inquietud y el deseo de dejar todo hecho y resuelto de por vida para regresar a la normalidad. Al menos, en el caso de ser convocado para una entrevista de selección, hay mucho que puede hacer para aliviar esa sensación de ansiedad y convertir la situación en una en que, si no completamente, por lo menos se sienta capaz de lidiar.

### ✸ Recomendación efectiva

Empiece por darse cuenta de que ha recibido excelentes noticias. Se le ha solicitado una entrevista porque su CV (curriculum vitae), su formato de aplicación o su llamada telefónica han timbrado la nota correcta: ha despertado el apetito de alguien que cree que usted podría ser la persona que está buscando.

El mundo de las entrevistas de selección no es como en los programas de televisión *El Aprendiz* o *La Guarida de los Dragones*. No está habitado por unos sádicos que pasan sus días buscando formas de hacer que los candidatos se sientan inadecuados o estúpidos (al menos, no en la mayoría de los casos). Está poblado por administradores en constante presión; supervisores y personal de recursos humanos (RH) que buscan desesperadamente tomar la decisión correcta para sus organizaciones. No quieren costarle a la empresa tiempo y dinero en lo que se vuelve a publicar un anuncio, se formula una nueva terna o en lo que alguien comienza de nuevo el programa de entrenamiento, debido a que colocaron a un callado y taciturno solitario en su bullicioso equipo de ventas, o porque reclutaron a un extravagante *socialité* como director de un retiro silencioso. Piénselo de esta manera, probablemente no ganen su simpatía y comprensión, pero podría adquirir una nueva perspectiva, una que realmente pueda beneficiarle. Ayúdelos siendo un buen candidato bien preparado, y ayúdese ofreciendo una presentación verdaderamente convincente. Incluso cuando en algunas ocasiones no consiga el empleo, debe salir sintiendo que ha ofrecido muy buena impresión de su persona y que aprenderá a hacerlo todavía mejor para la próxima vez.

Los reclutadores consideran la selección con la misma seriedad, ya sea que los tiempos económicos sean buenos o malos. No se vea tentado a tomar la actitud de que las entrevistas no contarán para mucho cuando no hay tantos empleos disponibles, pues los jefes pueden simplemente entrevistar a otros candidatos. No funciona así.

## Recomendación efectiva

Ayúdelos siendo un buen candidato, bien preparado, y ayúdese ofreciendo una presentación verdaderamente convincente.

Esto no quiere decir que las entrevistas sean fáciles –no lo son–, son exigentes y estresantes y, aunque a veces parecen de bajo perfil, sigue estando bajo el reflector y obteniendo esta única oportunidad de conseguir algo que realmente quiere. Saber dónde está parado y lo que puede hacer al respecto es el punto de partida esencial, psicológico y táctico para cualquiera que ha sido invitado a una entrevista de trabajo. Esto puede suceder cuando:

- Está solicitando su primer empleo tras salir de la escuela.
- Acaba de terminar un curso en la universidad.
- Está en el proceso de cambiar su dirección profesional, ya sea por elección o como resultado de las fuerzas del mercado.
- Está llevando a cabo un movimiento lateral en su campo de trabajo.
- Está regresando a trabajar después de un periodo de ausencia por la crianza de los hijos o el cuidado de otros miembros de la familia.
- Está buscando una promoción en su profesión actual.

Independientemente del tipo de trabajo para el que esté aplicando –tiempo completo, medio tiempo, profesional, práctico, técnico, administrativo, creativo o de cuidador–, tendrá que convencer a una persona o a un panel de personas de que es la opción ideal. Para agregar dificultades, todos los otros candidatos tratarán de hacer exactamente lo mismo.

## Recomendación efectiva

Tan complejas y estresantes como pueden resultar las entrevistas, también proporcionan una oportunidad de oro para ser el centro de atención: saque el máximo provecho de ellas.

Aunque, tenga cuidado de no tomar las referencias y actuarlas demasiado literalmente. Mostrar su lado más seguro y convincente funciona bien, cuide de no crear a una falsa persona que nada tiene que ver con usted. Hacerlo pone una carga sobre usted y casi siempre el entrevistador puede notar que no está relajado y natural. Si tiene que fingir ser alguien que no es, probablemente tampoco disfrutará el trabajo.

Es fácil que se olvide de la preparación de la entrevista como parte de su estrategia al buscar el empleo. Preparar un muy buen CV y asegurarse de llenar muy bien los formularios de aplicación, junto con toda la investigación de dónde y cuándo aplicar, puede significar que la preparación de la entrevista termine tomando el asiento trasero. Muchas personas dicen que realmente odian la parte del papeleo durante el proceso de aplicación y que si tan sólo pudieran llegar a una entrevista y hablar cara a cara con el empleador, estarían bien. En la medida en que la invitación a una entrevista toque a su puerta o se materialice en su buzón de correo electrónico, el famoso optimismo sale por la ventana. Conversar frente a frente con el entrevistador no es tan fácil: ¿qué preguntas le van a realizar y qué respuestas será capaz de ofrecer?

Este libro ayudará a *cualquiera* que haya sido invitado a *cualquier* tipo de entrevista de selección para *cualquier* empleo; a prepararse con mayor efectividad, sentirse más seguro y estar bien armado para lidiar con cualquier pregunta –obvia, capciosa o desafiante– que le hagan.

Los siguientes capítulos le guiarán a través de las preguntas más frecuentes en una entrevista. Encontrará preguntas sobre usted, su experiencia, educación, competencias, intereses, ambiciones y personalidad, así como preguntas sobre su elección de empleo y por qué está aplicando en alguna empresa u organización en particular.

Las preguntas sin respuesta no ayudan a aliviar la ansiedad, por lo que cada capítulo ofrece ejemplos con modclos de respuesta que probablemente satisfagan a los jefes. Un modelo de respuesta está bien, pero es sólo eso, un modelo. No puede cubrir cada conjunto de circunstancias que se produce durante la búsqueda de empleo y desarrollo profesional de cada individuo. Para muchas de las preguntas encontrará que se ofrece más de una contestación sugerida, ilustrando cómo se deben adaptar a las circunstancias específicas. Para la primera pregunta de cada capítulo, el modelo de respuesta es analizado con un poco más de detalle para mostrarle algunos de los elementos que conforman una buena contestación. Esto le ayudará a construir sus propias respuestas.

Las preguntas y respuestas de una entrevista no son fórmulas matemáticas; nunca hay una sola respuesta "correcta". Por ello, este libro también proporciona consejos y ejercicios que le ayudarán a realizar la conexión entre el modelo establecido de respuestas y aquellas que realmente le gustaría utilizar, describiendo sus propias circunstancias.

En el capítulo 6, por ejemplo, sobre la elección de carrera, no se puede explicar cada posible respuesta justificando la elección de todo, desde contador hasta guardián de zoológico, pero permite que se concentre en las preguntas con que probablemente será cuestionado respecto a por qué ha escogido un trabajo o profesión en particular, y le ofrece una guía para desarrollar respuestas adecuadas.

Este libro será muy útil para todo el espectro laboral, no está diseñado sólo para aquellos que estén buscando empleo en el sector comercial y de negocios, sino que ofrece un asesoramiento adecuado, ya sea que trabaje en educación, cuidado de la salud, comercio, industria, manufactura o medios de comunicación. En varios capítulos encontrará el uso de la palabra *compañía* o *empresa* para referirse a los empleadores potenciales, pero en realidad es un genérico para cualquier organización con la que pudiera estar buscando empleo.

## Recomendación efectiva

Para que sus respuestas sean realmente efectivas, no utilice el modelo de respuestas como un guión para ser aprendido. Si intenta ocuparlo de esta manera, sonará falso; la contestación no aplicará con usted al 100 %, e intentar memorizar el material sólo generará estrés adicional antes de la entrevista. Use sus habilidades y conocimientos adaptando las respuestas para que le funcionen bien.

Esta flexible actitud, al conformar sus respuestas, también aplica sobre la manera de redactar las preguntas. Siempre piense en lo que realmente está buscando el entrevistador cuando le cuestiona. Este libro realiza las preguntas de la forma en que probablemente surjan durante una entrevista de trabajo, y también realiza algunas preguntas muy similares, utilizando una redacción diferente para ayudar a familiarizarse con el lenguaje común de las entrevistas. Los entrevistadores son humanos (incluso cuando en ocasiones tendría motivo para dudarlo) y tendrán sus propios estilos de interrogar: "¿para qué es bueno?", "¿cuáles son sus fortalezas?", "¿qué le distingue de la multitud?". Todas éstas son preguntas para que distinga sus principales puntos de venta, para demostrar sus activos.

Cuando vaya a una entrevista, no se sorprenda si el lenguaje que usan usted y su interlocutor es menos formal que el utilizado en los ejemplos de este libro. La naturaleza humana es más peculiar, más variada y más individual que cualquier otra inventada por cuestionadores y candidatos. Naturalmente, hay diferencia entre una verdadera conversación, donde usted y el entrevistador han tenido suerte de empezar a construir un vínculo, y una situación en la que preguntas y respuestas específicas son ilustradas fuera de contexto. Por regla general, los entrevistados tienden a reflejar el tono y el lenguaje adoptado por el entrevistador –esto ocurre automáticamente, así que el candidato no tiene que agonizar y preocuparse por captarlo. En las entrevistas de "la vida real", a menudo es bastante aceptable incluir un elemento de humor, sin tratar de realizar una comedia individual de media hora. El humor es muy personal y los candidatos deberían seguir su intuición y sentimientos viscerales para cuándo utilizarlo, no es algo que se pueda preparar anticipadamente.

Cuando se usan los modelos de preguntas y respuestas, encontrará que suelen ser bastante claros respecto al tipo de información que requiere el entrevistador, por lo que no encontrará notas explicativas antes o después de cada pregunta y respuesta. Donde, sin embargo, exista alguna duda o puedan resultar de utilidad indicadores adicionales, éstos son incluidos junto con sugerencias que ayudan a enfocarse en sus propias respuestas potenciales.

Para asegurar que puede adaptar las respuestas a sus propias circunstancias, varios capítulos contienen breves cuestionarios que le ayudan a enfocar su pasado, futuro, fortalezas, logros, valores e intereses, todas esas cosas que son importantes para usted, y cuando está solicitando un puesto de trabajo, también para su futuro empleador. Éstos no son cuestionarios cuantitativos que ofrezcan una interpretación externa de usted; más bien actúan como avisos y generadores de ideas que ayudarán a la preparación de su entrevista.

En los siguientes capítulos encontrará la ayuda que se ajusta a su circunstancia en particular, ya sea que acabe de terminar la escuela o universidad, esté buscando un desplazamiento profesional, volviendo al trabajo después de algún tipo de receso o buscando un ascenso importante. Los capítulos están organizados para destacar determinados aspectos de experiencia, educación, historia laboral, intereses, motivación y logros; personalidad, ambiciones, elección de carrera y desarrollo.

Inevitablemente, debido a que está recibiendo modelos ideales para trabajar con las respuestas, puede encontrar que el modelo de "candidato" parece irritantemente cercano a la perfección, ya que son componentes de útiles experiencias y cualidades personales. No se deje intimidar por esos paradigmas de perfección en el proceso de selección. Las muestras de preguntas y respuestas incluyen ejemplos de candidatos que no siempre han tenido éxito y no siempre han recorrido un camino directo hacia el éxito profesional. La clave de todas sus respuestas y de todas aquellas que desarrolla para usted, está en extraer lo positivo de lo normal, lo convincente fuera del promedio y lo extraordinario fuera de lo ordinario.

## Recomendación efectiva

Puede aumentar su confianza familiarizándose lo suficiente con cualquier área cuestionable en una entrevista, resultando poco probable que sea sorprendido sin darse cuenta. Será capaz de deducir lo que el entrevistador realmente está buscando incluso cuando las preguntas surjan en diferentes formas, pero lo más importante de todo es que sabrá lo que tiene para ofrecer y lo que quiere establecer, con el fin de maximizar su posibilidad de asegurar la posición que desea.

Todas las preguntas y respuestas están basadas en lo que los candidatos a una entrevista afirman encontrar complicado y aquello que los jefes dicen realmente estar buscando.

Una última palabra de aliento: entienda que un buen desempeño en las entrevistas es una habilidad que realmente puede mejorar, y una buena preparación, sin duda, acelerará esta mejora.

# Capítulo 1

## El punto de preparación: el arte de la preparación

Cómo estar excelentemente preparado para la entrevista y cómo impresionar y deslumbrar ese día

La tan citada frase "estar preparado" es mucho más que un repetido cliché cuando recibe alguna invitación para una entrevista. Las siguientes son claves para generar un poderoso impacto en cualquier entrevista:

- Investigar información adecuada.
- Prepararse mentalmente.
- Anticipar las preguntas que es probable que le realicen.
- Elaborar las mejores respuestas posibles a esas preguntas.

El propósito de este libro es considerar todas las preguntas que le pueden formular, para preparar respuestas concisas, efectivas y persuasivas, que le ayudarán a sobresalir en la multitud. Como candidato, deberá prepararse para contestar preguntas sobre cada aspecto de su educación, historia laboral, ambiciones y fortalezas personales. Dado que la mayoría de las entrevistas toman entre 25 y 40 minutos, es poco probable que cuestionen todo lo que ha preparado y no será sorprendido. Prepararse para una entrevista no debería ser como estudiar para un examen, donde puede darse cuenta de que ha estudiado los temas equivocados; pero tampoco implica aprender las posibles respuestas como perico. Una buena preparación significa estar tan familiarizado con los puntos que desea establecer, que es capaz de escuchar el cuestionamiento y de inmediato presentar las respuestas más convincentes.

Recuerde que casi todas las preguntas que le harán están diseñadas para tener más información sobre usted y, lo más importante de todo, su capacidad para un puesto determinado y la posibilidad de que encaje bien con sus colegas, gerentes, clientes, la empresa, el personal y su estilo de trabajo. En general, todos los entrevistadores están buscando las respuestas a tres preguntas fundamentales:

*¿Puede realizar el trabajo?* ¿Tiene la combinación apropiada de cualidades y/o experiencia que le proporcionen el conocimiento y las habilidades básicas para realizar el trabajo?

*¿Realizará el trabajo?* Ésta es una pregunta muy diferente a "si puede hacerlo". Es totalmente acerca de su disposición para realizar el trabajo. ¿Está dispuesto y entusiasmado? ¿Cómo puede demostrar su motivación?

*¿Encajará?* Ésta es sobre su aptitud para trabajar en ese entorno en particular. Parte de la respuesta es difícil de plantear en términos formales; es algo que se coloca y el entrevistador lo toma a un nivel más intuitivo. Existen, sin embargo, conjuntos completos de preguntas relacionadas con este ámbito: sobre el trabajo en equipo, cómo lidiar con situaciones difíciles entre miembros del personal, ser adaptable, flexible y amigable.

Dado que el entrevistador quiere saber acerca de usted, asegúrese de que sea un tema con el que está cómodo, familiarizado y entusiasmado. Es posible que para ahora se considere una garantía, así que tome tiempo para sentarse y pensar realmente cuáles son sus cualidades y fortalezas. Manténgase atento a cualquier punto débil que el entrevistador pudiera considerar. Tenga cuidado de restarse valor. Varios de nosotros somos mucho más rápidos listando nuestros inconvenientes que nuestros activos. Parte de su preparación debería ser recordarse a sí mismo sus habilidades. El breve cuestionario que aparece más adelante en el capítulo le ayudará a concentrarse en sus principales puntos de venta.

Desde luego que distintos empleos requieren diferentes portafolios de habilidades y experiencia, pero hay un núcleo de habilidades y atributos que aparece en muchos anuncios de trabajo y en varias descripciones de puesto, independientemente de la posición anunciada. Sus propias observaciones, conocimientos y/o experiencia del campo en particular del empleo en cuestión, le ayudarán a determinar qué combinación de dichas habilidades es más importante para el tipo de trabajo al que está aplicando. Un psicoterapeuta probablemente necesita mayor capacidad para escuchar que un auditor contable, por ejemplo, y la creatividad de alguien que escribe un inolvidable anuncio publicitario, no es igual a la de un tecnólogo en alimentos que desarrolla una suculenta receta.

## CONSTRUIR SU CONFIANZA

Aumente la conciencia sobre sus propias habilidades. Trabaje con el cuestionario a continuación. Sea honesto, pero equivóquese al momento de ser generoso consigo mismo.

Ahora mire con cuidado la lista y donde califique como bueno con una habilidad, entonces piense en una ocasión o situación en que la haya utilizado con buenos resultados.

 **Recomendación efectiva**

Para asegurar que sus habilidades y buenas cualidades destaquen y den en el blanco, debe ser capaz de citar ejemplos. Use ejemplos de situaciones laborales, tiempos libres y actividades voluntarias; su educación o su vida doméstica.

No liste simplemente habilidades sin ejemplos (todo eso irrita a su entrevistador y lo que esté diciendo no lo deja convencido), ya que esto demuestra que es bueno leyendo anuncios y descripciones de puesto, más que estar bien calificado para él.

Mida cuáles de las siguientes habilidades posee. Sea tan honesto como pueda, pero tenga cuidado de no ser demasiado duro consigo mismo.

Clave

0 = No tiene la habilidad

1 = Tiene habilidad en algún grado

2 = Tiene la habilidad en un alto nivel de competencia

| Punto de venta | Calificación |
|---|---|
| Bueno con los números. | |
| Bueno para escribir documentos oficiales, reportes, etcétera. | |
| Bueno para escribir correos electrónicos y para responderlos de inmediato. | |
| Habilidades buenas y creativas para escribir (historias, poemas, biografías, etc.). | |
| Bueno para hablar con la gente frente a frente. | |
| Bueno para hablar con las personas por teléfono, teleconferencias, etc. | |
| Bueno para tomar decisiones. | |
| Bueno para escuchar los problemas de otras personas. | |
| Bueno para asesorar y ayudar a la gente. | |
| Bueno para persuadir a la gente con sus puntos de vista. | |
| Bueno para resolver problemas intelectuales. | |
| Bueno para resolver problemas prácticos. | |
| Bueno para organizar su tiempo y priorizar la carga de trabajo. | |
| Bueno para el cumplimiento de plazos. | |
| Bueno para diseñar en papel, con sus manos o con la ayuda de la computadora. | |
| Bueno para construir cosas con las especificaciones del alguien más. | |
| Buen nivel de conocimiento en tecnologías de la información (*software/hardware*). | |
| Buenas y especializadas habilidades en tecnologías de la información, por ejemplo, diseño web, gráficos, medios interactivos. | |
| Bueno para trabajar con flexibilidad en un equipo. | |
| Bueno para hacerse responsable de sus propios actos y trabajo. | |
| Capaz de trabajar por su cuenta sin supervisión. | |
| Capaz de seguir instrucciones dadas por otros. | |
| Capaz de delegar trabajo a otros. | |
| Bueno para explicar cosas a otras personas, al enseñar habilidades a los demás. | |
| Capaz de prestar atención en los detalles. | |
| Capaz de trabajar bajo presión. | |
| Capaz de motivar a otras personas. | |
| Capaz de utilizar su propia iniciativa. | |
| Capaz de pensar de manera realista. | |
| Capaz de aprender tareas o asimilar información rápidamente. | |
| Capaz de hacer frente a circunstancias cambiantes. | |

**Recomendación efectiva**

Si es lo suficientemente afortunado de tener una descripción detallada del empleo, que establezca criterios específicos de selección o las especificaciones personales, asegúrese de tener material relevante para hablar respecto a cada uno de los criterios mencionados. Las entrevistas sobre estas bases pueden requerir que el entrevistador califique a los candidatos frente a cada criterio, así que no deje ninguno fuera.

Este libro con frecuencia regresa a la necesidad de estar muy familiarizado con sólidos ejemplos que ponen en relieve sus habilidades. Esto es esencial no sólo porque el entrevistador necesita saber que realmente tiene esa habilidad, sino también porque una entrevista sólo es una breve oportunidad de mostrarse bajo una luz brillante. Si puede recurrir a una amplia gama de ejemplos y situaciones, ofrecerá una buena impresión.

Mientras que la investigación muestra que las entrevistas más bien son una herramienta de selección inexacta –el rendimiento anterior y las pruebas de aptitud probablemente son una mejor guía–, siguen siendo fundamentales para obtener cualquier empleo. No las tome a la ligera e invierta tiempo en la planeación.

**Recomendación efectiva**

Si sabe lo que puede ofrecer y lo puede establecer efectivamente, está por buen camino para brindar una actuación brillante en la entrevista y generar una gran impresión.

## OFRECER RESPUESTAS BRILLANTES

Por supuesto que el contenido de lo que dice es muy importante, pero hay algunas reglas básicas que ayudarán a todas sus respuestas para dar la mejor impresión posible.

El estilo de las preguntas es de una consideración importante. Las preguntas pueden ser abiertas: "Dime lo que te gusta de tu empleo actual", o cerradas, "¿Te gusta tu empleo actual?".

Los buenos entrevistadores siempre harán preguntas abiertas que le animen a dar una respuesta completa, pero no es un mundo perfecto, no todos los entrevistadores son buenos.

> ### ✷ Recomendación efectiva
>
> Siempre dé una respuesta completa a las preguntas, nunca diga sólo *sí* o *no*. Responda a cada pregunta como si fuera abierta, incluso cuando al entrevistador se le escape y haga una pregunta cerrada.
>
> **P** ¿Le gusta su empleo actual?
>
> **R** *Sí* (esto no es muy informativo).
>
> **R** *Sí*, me gusta mucho la mayoría de los aspectos en mi función actual, especialmente el desarrollo de los proyectos que tomé hace dos años.

Al anticipar preguntas potenciales y planificar respuestas brillantes, no olvide que algunas de sus respuestas automáticamente llevarán a una pregunta de seguimiento por parte del entrevistador. No se desconcierte por esto; por lo general, significa que ha dicho algo que captó su interés y quieren saber más. Si sólo desean que les aclare algo, se lo van a decir. La clave del éxito es ensayar lo que quiere decir, pero no aprenderlo de memoria. Recuerde toda su experiencia relevante, sus puntos de venta exclusivos, sus fortalezas, sus cualidades personales y cualquier área problemática que pueda encontrar. Familiarícese tanto con este material que si alguien lo detiene en la calle y le pide que le cuente todo sobre usted en los próximos 60 segundos, pueda hacerlo con facilidad.

## VÍSTASE PARA EL ÉXITO

La preparación intelectual y psicológica para una entrevista es crucial, pero hay otros aspectos más básicos y esenciales a tener en cuenta. Si cree que algo de lo que sigue suena obvio, lo es; sin embargo, todavía hay un sin número de candidatos que defraudan llegando tarde a las entrevistas, no leyendo las instrucciones de lo que deben traer consigo y presentándose con un traje que no ha sido enviado a la tintorería en un año, mostrando aún pruebas de las tres bodas en que ha estado.

La buena presentación personal es una necesidad absoluta. También le hace sentir bastante mejor, mucho más seguro y controlado.

Estar vestido para el éxito es esencial, pues es muy comprensible que los candidatos estén ansiosos. Ser demasiado casual podría implicar que no le da ninguna importancia; ser muy formal podría sugerir que es estirado y aburrido.

Lo más seguro es optar por lo pulcro y formal. Si se presenta a la entrevista y descubre que parece "viernes casual", a pesar de ser martes, lo puede hacer cuando haya asegurado el puesto. Su vestimenta formal es poco probable que juegue en su contra, mientras que ser demasiado informal puede dar la impresión de que en realidad para nada se molestó y no está tomando en serio la entrevista.

## Recomendación efectiva

Las empresas estadounidenses y otras grandes multinacionales son especialmente fijadas en la vestimenta formal, así que, de estar aplicando en alguna de ellas, sea particularmente especial con su apariencia.

El vestir puede ser cosa de sentido común, pero vale la pena que recuerde algunos conceptos básicos. Esto resulta particularmente especial si se trata de la primera vez que ha tenido que ir a entrevistas de trabajo.

Probablemente no necesite estos recordatorios, pero los hombres deben llevar traje, camisa limpia y corbata (sin la imagen de su equipo de futbol o la foto de su abuelita). Los zapatos limpios parecen ser un arte en extinción: ¿por qué no revivirlo para esta ocasión?

Las mujeres deben vestir de traje: falda, blusa y una chaqueta, o vestido y una chaqueta, o un traje sastre. Evite usar tacones muy altos.

Todos deberían llevar un portafolio, un bolso o un organizador. Caminar con una bolsa de plástico del supermercado o una taza de café a medias no combina particularmente bien.

Desde luego, necesita balancear estos consejos con lo que sabe acerca de la organización para la que está aplicando. Un bufete de abogados puede tener un código de vestimenta distinto al de una empresa para diseño de *software* o a una manufacturera de comida, pero como ya se ha establecido, en caso de duda opte por la formalidad. Los folletos de la empresa o el sitio web con fotografías de la oficina u organización y el personal que ahí trabaja pueden representar valiosos indicadores.

Difícilmente hay que precisar que una excelente higiene personal y una buena preparación son necesarias, porque aun éstas pueden eliminar a los candidatos demasiado confiados. Si pasó la noche anterior comiendo pan de ajo, bebiendo grandes cantidades de alcohol o fumando empedernidamente, no querrá que su entrevistador lo detecte.

Incluso los candidatos bien preparados pueden descuidar sus propios estándares. El director de RH de una gran empresa ingenieril comentó sobre la cantidad de solicitantes para toda una serie de empleos, varios en muy altos niveles directivos: muy bien vestidos y presentables, con los zapatos muy bien lustrados, trajes elegantes, etc., pero con las uñas sorprendentemente sucias.

 **Recomendación efectiva**

Ofrecerá una mejor impresión si comenta a los entrevistadores sobre sus actividades de tiempo libre, en lugar de dejarlos deducirlo por sí mismos. Si le gusta la jardinería o el mantenimiento de autos, no permita que lo descubran por lo que muestra con sus manos o sus zapatos.

Si está usando perfume, utilícelo en pequeñas cantidades y algo muy discreto. A ningún entrevistador le gusta una nube de esencia llegando a la sala de entrevistas dos minutos antes que el candidato. Muchos profesionales de recursos humanos recomiendan no utilizar fragancias en absoluto, sobre todo teniendo en cuenta que pueden desencadenar reacciones alérgicas en algunos entrevistadores. Asimismo, las mujeres deben evitar un maquillaje pesado, joyería excesiva y audaces adornos corporales. Como siempre, el sentido común dicta lo que será apropiado; por ejemplo, una firma de consultores administrativos tendrá expectativas diferentes para un proyecto de apoyo juvenil o para el mostrador de cosméticos en una tienda departamental líder.

Asegúrese de organizar su guardarropa con mucho tiempo, que el traje venga de la tintorería, que sus zapatos estén presentables y que no esté usando una bolsa del supermercado como maletín. No obstante, cualesquiera que sean las reglas y sutilezas con los códigos de vestimenta, lo más importante es que se sienta cómodo y a gusto.

## Recomendación efectiva

Sin importar cómo se vista, procure utilizar algo que le haga sentir elegante y seguro, pero sin dejar de sentirse como usted mismo.

# SINCRONIZACIÓN PERFECTA

Planee su jornada como si fuera un pedante pesimista. Espere lo peor que le pueda pasar: el transporte público, las carreteras congestionadas, la navegación satelital y las restricciones de estacionamiento. Si las cosas salen mal, como a veces ocurre, tenga en su teléfono celular el número y el nombre del contacto para la entrevista programada, de modo que pueda hacerle saber exactamente lo que está sucediendo. Bien podrían ser capaces de modificar el horario y el hecho de que se los deje saber evita para ellos lo molesto y frustrante de la situación.

Llegue con buen tiempo, pero no muy temprano. Demasiado temprano es incómodo para usted y para ellos. Una vez que se encuentre por la zona, tome una taza de té o café, dé un paseo, visite algunas tiendas y practique la respiración profunda. Cuando haya llegado a las oficinas donde tendrá lugar su entrevista, aproveche constructivamente los últimos minutos, pero no de manera frenética. Lleve a cabo una pequeña evaluación del lugar.

Aquí hay algunas preguntas que pueden ayudarle a evaluar la organización para la que quiere trabajar.

- ¿Parecen amigables los miembros del personal que está conociendo?
- ¿Qué tan ocupados parecen estar?
- ¿El entorno de trabajo se ve ordenado o caótico?
- ¿La gente parece estresada y apresurada?
- ¿La gente parece relajada y tranquila?
- ¿Qué palabras usaría para describir la atmósfera en general?

Eche un vistazo alrededor buscando cualquier literatura sobre la organización y los productos y servicios colocados para el visitante explorador. ¿Qué información se puede deducir que no haya encontrado antes?

## DESVANEZCA LOS NERVIOS PREVIOS A LA ENTREVISTA

Resulta muy poco común la persona que no siente nervios antes de una entrevista, y una limitada cantidad de adrenalina en el sistema puede mejorar el rendimiento. Los entrevistadores están acostumbrados a lidiar con los nervios, pero no todos poseen la habilidad para discernir la diferencia entre un ligero ataque de nervios por la entrevista y un temperamento nervioso. Sobre todo, usted quiere evitar que los nervios lleguen a la etapa en que interfieren con su desempeño. La manera en que cada uno de nosotros lidia con la tensión antes de una entrevista, hasta cierto punto, es una cuestión personal, pero respirar profundamente ayuda, y saber que se ha preparado a fondo y cuidadosamente representa una verdadera diferencia. Puede ser útil conseguir a un amigo o colega de confianza (siempre que no estén aplicando para la misma posición) para realizarle algunas de las preguntas cuyas respuestas ha preparado, de modo que pueda sentirse más a gusto con el objeto de su asunto.

## DÍGALO SIN PALABRAS

Una buena y bien construida respuesta para cualquier pregunta pierde el impacto si es ofrecida de una manera tímida, sin brillo ni correspondencia con lo que se está diciendo. Las pistas no verbales que ofrece durante una entrevista dicen mucho. Esto empieza desde el momento en que entra en la sala de entrevistas (o incluso al edificio) y el personal que ahí encuentra puede estar suministrando una retroalimentación informal a los entrevistadores o al panel de entrevista. Sea cordial con todos los que conozca. A veces los clichés son ciertos y una sonrisa en realidad no cuesta nada: incluso cuando tiene el estómago revuelto y siente las palmas pegajosas. Siempre es una buena idea enjuagarse las manos justo antes de una entrevista, de modo que no ofrezca un húmedo apretón de manos. Si su archivo o portafolio está en la mano izquierda, esté listo para saludar sin tener que "barajar" todo repentinamente. Asegúrese de dar un buen y firme apretón de manos, sin intentar convencer al entrevistador que ha sido campeón nacional de vencidas durante los últimos tres años.

## Pesadilla a evitar

Uno de los candidatos se sorprendió mucho cuando una señora vestida con una falda floreada y una chaqueta de punto, que ofrecía té a los candidatos, al final del día resultó ser la presidenta del panel entrevistador. Cuán contento se encontraba por haber aceptado gentilmente su té y no empalagarse con las galletas.

La disposición de los asientos en las salas de entrevistas varía, en parte dependiendo de si es entrevistado por una persona o por un panel, y también de acuerdo a la preferencia del(de los) entrevistador(es). No tome asiento hasta que se le invite a hacerlo, luego recuerde agradecerlo a su entrevistador. Puede encontrarse en una agradable silla, tal vez con una mesa de café entre el entrevistador y usted, o puede encontrarse frente al panel de entrevista, a un lado de una mesa de juntas con varios objetos de escritorio y blocs de notas de por medio. No se desanime, las preguntas no serán ni más ni menos difíciles por la disposición de los asientos. Cuando los entrevistadores están tomando notas extensas, una configuración formal es más fácil para ellos.

Es difícil cuando está sentado en una silla cómoda, pero es mejor sentarse hacia adelante porque esto le hace ver interesado y no muy casual. Mire al entrevistador cuando responda las preguntas y si está siendo entrevistado por un panel, observe sobre todo a la persona que ha realizado la pregunta, y ocasionalmente mire en dirección a los demás y asegúrese de que se sientan incluidos en la conversación. Si los paneles de entrevista le parecen desalentadores, entonces tenga en cuenta que sólo le cuestionarán con la misma serie de preguntas que le realizaría un solo individuo y que probablemente hayan acordado de antemano quién preguntará qué.

Si sabe que tiene hábitos como jugar con la correa de su reloj o sus pendientes, recuerde eliminarlos. De igual forma, si tiende a hacer movimientos extravagantes con las manos mientras habla, procure reducirlos, aunque sin sentarse sobre ellas en un desesperado intento por eliminar toda evidencia en su habitual estilo de comunicación.

## ESCUCHE CON ATENCIÓN ANTES DE HABLAR EN LO ABSOLUTO

La mayor parte de los consejos en este libro le solicitan pensar las respuestas que debería dar a los cuestionamientos de la entrevista y anticipar lo mejor que pueda todas las posibles preguntas en las diferentes formas que surgen. Antes de que pueda contestar cualquier pregunta, debe asegurarse de que realmente ha escuchado lo que se está solicitando. He aquí cómo escuchar efectivamente:

- Concéntrese: no permita que los nervios le impidan escuchar lo que se está diciendo.
- Escuche con atención lo que le están solicitando: un poco como leer un examen antes de usar la pluma sobre el papel.
- No interrumpa a su interlocutor.
- Demuestre que está escuchando activamente al realizar las preguntas adecuadas para ayudar a lo largo de la conversación.
- Comprenda el punto de vista de su entrevistador, de preferencia sin sugerir que se verían beneficiados con asesoría o terapia.

### Pesadilla a evitar

Una candidata a la que se le cuestionó sobre alguna debilidad no estaba segura de haber escuchado bien y pensó que se le había preguntado por algún testigo. Esto dio lugar a una conversación confusa donde el entrevistador tenía la impresión de que ella hubiera convocado a todos sus conocidos, por supuesto afirmando que poseía un buen carácter, con la deducción de que no, no tenía debilidad alguna. Fue sólo hasta una extraña discusión de retroalimentación que este embrollo fue descubierto.

No se desanime con la sensación de tener que hacer aún más de lo previsto: la mayoría de estas habilidades para escuchar son aquellas que utiliza todos los días en las conversaciones de muchos tipos, todo lo que tiene que hacer es estar consciente de ellas.

La investigación sugiere que el resultado de muchas entrevistas es decidido por los entrevistadores en los primeros dos o tres minutos y que dichas decisiones se toman a un nivel intuitivo, dependiendo del vínculo entre el entrevistador y el candidato. De ser cierto, entonces significa que los primeros aspectos de la comunicación no verbal –sonrisa, apretón de manos y en general la actitud– son importantes. No hay ningún misterio en esto y las mismas reglas de cortesía y sentido común se aplican como en cualquier otro aspecto de la vida. Lo que resulta diferente es que probablemente piense mucho más en ello de lo que haría en otras ocasiones. Sin embargo, es peligroso volverse paranoico respecto a estos aspectos de su entrevista, preocupándose de acabar de mandar a volar sus posibilidades porque el apretón de manos no estuvo del todo bien o porque se sentó en la silla un nanosegundo antes de tiempo. Siempre y cuando usted permanezca amistoso, cálido y entusiasta, no se equivocará demasiado.

## SUMARIO Y RECORDATORIOS

Una buena preparación realmente vale la pena: le permite desempeñarse con mayor eficacia y sentirse más seguro.

1. Compruebe la fecha, el lugar y la hora de su entrevista.
2. Revise el formulario de aplicación y/o CV, o las notas que tomó durante la llamada telefónica.
3. Asegúrese de haber leído las instrucciones para la entrevista. En ocasiones solicitan traer algo consigo o llegar temprano para un recorrido del departamento o centro de producción.
4. Revise sus planes de viaje.
5. Asegúrese de que el vestuario para su entrevista se encuentre en buen estado.
6. Complete cualquier investigación que deba realizar sobre el empleo/organización.
7. Recuerde sus puntos de venta clave.
8. Apague su teléfono celular: ningún entrevistador quiere saber cuál de sus amigos está sobre un tren en ese momento o incluso que esté a punto de cerrar el acuerdo de una gran venta; hay un tiempo y un lugar para cada cosa.
9. Sea positivo, sea efectivo.

# Capítulo 2

## Haga de su aprendizaje su educación

Cómo demostrar a los empleadores
lo que su educación realmente le enseñó

Su educación, al nivel que haya llegado, es algo en lo que los empleadores siempre están interesados y preguntarán al respecto. El nivel de su interés está determinado por lo reciente y relevante de su educación para la posición a la que está aplicando. Si es relativamente nuevo como empleado, acaba de salir de la escuela o la universidad, las preguntas sobre su educación tienden a formar parte importante de la entrevista. Jefes potenciales querrán saber algo sobre su educación, algo más que la información factual que ha proporcionado en su CV o formulario de aplicación. ¿Por qué eligió el tema/curso/universidad o colegio al que asistió? ¿Para qué es bueno y qué le pareció más difícil? Sobre todo, ¿qué obtuvo de sus estudios que será útil para su jefe?

### Recomendación efectiva

Concientice que no todos los reclutadores de hecho cuentan con los distintos títulos de cualidades. Las listas de iniciales pueden no significar mucho, pero lo que cubrió su curso y lo que hizo, sí.

Aquí hay ejemplos de preguntas y algunos modelos de respuesta para considerar y adaptar a su propia situación. Muchas de estas preguntas son igualmente relevantes cuando acaba de completar una formación profesional o un curso práctico/técnico de algún tipo.

Una vez más: es probable que el énfasis del entrevistador esté en cómo hizo su elección, lo comprometido que está con ella y si es algo de uso específico para su organización.

 ## Ejemplo efectivo

Empiece considerando esta pregunta muestra y el modelo de respuesta. Ambas son seguidas por un breve análisis de lo que hace a esa respuesta ser un éxito.

**(P)** Si alguien que acaba de terminar la escuela le preguntara si debería ir a trabajar o continuar su educación, ¿qué le aconsejaría?

**(R)** Realmente me gustaría saber más sobre sus propias ideas antes de dar consejos, pero de ser necesario, creo que les aconsejaría continuar con su educación. A pesar de las dificultades para financiar mis estudios y el competitivo mercado laboral entre graduados, siento que he aprendido mucho, especialmente asumiendo mi responsabilidad respecto a trabajar con muy diferentes grupos de personas. Todo eso fue una ganancia real que creo le dio un buen comienzo a mi carrera. A menudo la gente se promete regresar y terminar su educación eventualmente, pero vi lo difícil que esto resultaba para algunos de los estudiantes en mi curso.

**Por qué funciona esta respuesta:**

- Inmediatamente deja saber al entrevistador que toma en cuenta la opinión de otras personas y no termina repartiendo consejos, independientemente de que se solicite.
- La respuesta reconoce los posibles aspectos negativos, pero los elimina antes de pasar a lo positivo.
- La respuesta incluye un comentario optimista sobre usted, así que aunque la pregunta fue bastante general, el entrevistado la regresa a un nivel sumamente personal.

Procure analizar algunas de las siguientes respuestas en este capítulo para observar por qué funcionan. Puede aprovechar la misma técnica cuando esté elaborando su propio modelo de respuestas.

**P** ¿Cómo eligió a qué universidad ir?

**R** Miré con atención todas aquellas que ofrecían las asignaturas que me interesaban. Tomé en cuenta sus métodos de enseñanza y evolución, y también quise escoger algún lugar alejado de la casa de mis padres, donde pudiera aprender más sobre asumir responsabilidades y ser independiente. También había escuchado cosas muy buenas sobre las instalaciones y la enseñanza, por parte de mis amigos de la escuela que fueron allí un año antes que yo.

**R** Me ofrecieron el lugar a través de una beca y mi prioridad era conseguir un lugar en la carrera de psicología/ingeniería/negocios. Podría no haber sido mi primera opción, pero ha funcionado muy bien para mí: era un buen curso y me ofreció muchos conocimientos prácticos. Asimismo, podría haber estudiado otra carrera en la universidad que hubiera elegido, pero me alegro de que me mantuve firme en estudiar psicología; es relevante en muchos puestos de trabajo, especialmente en éste.

(Entonces es probable que el entrevistador continúe con una pregunta como la siguiente.)

**P** ¿Dígame por qué piensa que su título en psicología es relevante para el puesto que ha solicitado?

**R** Por muchas razones. La principal es porque he optado por una unidad de psicología de negocios, en la cual observamos muchos aspectos de la psicología del consumidor y estoy seguro de que será útil en su departamento de mercadotecnia. En segundo lugar, no había llevado matemáticas más allá de mi GCSE* (General Certificate of Secondary Education). La estadística y los métodos de investigación me dieron la oportunidad de desarrollar mis habilidades numéricas y me siento mucho mejor en esta área de lo que había esperado. Pero sobre todo, creo que el curso me enseñó a desarrollar una actitud in-

---

*El Certificado General de Educación Secundaria es una serie de títulos que se obtiene mediante exámenes que presentan los estudiantes de entre 14 y 16 años de Gales, Inglaterra e Irlanda del Norte. [N.E.]

quisitiva en muchos aspectos del comportamiento humano, algo que resulta aplicable en cada empleo.

(Para alguien que ha asistido a la universidad posteriormente, una respuesta a esta pregunta podría ser la siguiente.)

**R** Fui a la universidad como un estudiante maduro, así que tuve que considerar algún lugar local. Por esta razón miré cuidadosamente las opciones que se ofrecían e investigué los registros de empleo y resultados de evaluaciones, con mucho cuidado, antes de hacer mi elección. Me las arreglé para hablar de manera informal con un tutor del curso antes de presentar mi solicitud.

## ✳ Recomendación efectiva

Haga sus respuestas positivas. Encajan con las diferentes circunstancias de vida, pero todas muestran que el candidato tomó el control de su situación, independientemente de los límites y restricciones que enfrentaba.

**P** ¿Por qué eligió estudiar arquitectura / contabilidad / leyes?

(Esta pregunta no sólo aplica para carreras universitarias. En una cuestión como ésta usted puede sustituir con cualquier curso de formación o certificación.)

**R** Tenía muy claro que quería estudiar algo vocacional con una trayectoria bien definida al final del curso y también estaba dispuesto a estudiar algo nuevo, algo que no hubiera formado gran parte de mi plan de estudios.

(En su propia situación, debería ser capaz de encontrar algo mucho más personal para decir sobre el curso específico que eligió: lo que realmente desencadenó su interés en el tema. Ese algo puede estar vinculado con los estudios de la escuela o la universidad, un interés que ha desarrollado o una experiencia laboral relacionada que haya tenido.)

**P** ¿Por qué eligió estudiar política / literatura inglesa / estudios combinados?

(En otras palabras, ¿por qué eligió algo que no le prepara para una determinada carrera o apunta en una dirección vocacional específica?)

**R** Quería mantener mis opciones profesionales abiertas, estudiar algo que estuviera seguro de poder disfrutar y, por tanto, hacerlo bien. No estaba preparado en ese momento para decidir una carrera, pero estaba seguro de que con mis estudios iba a adquirir una serie de útiles habilidades. Sabía que quería continuar mis estudios a nivel de grado. Realmente he disfrutado mi carrera y ahora tengo una idea clara de dirección, razón por la que he optado aplicar con ustedes.

**P** Está estudiando biotecnología, pero ha solicitado trabajo como aprendiz de recursos humanos con nosotros, ¿por qué?

(¿Sospechan que las oportunidades en biotecnología son limitadas y ha terminado por aprovechar cualquier posible oportunidad al azar?)

**R** Yo era bueno para ciencias en la escuela y pensé que la biotecnología sería un área interesante para trabajar. He encontrado, sin embargo, especialmente en mis diversos periodos de experiencia laboral, que estoy mucho más interesado en tratar con asuntos del personal y resolver los problemas comerciales, que en la búsqueda de soluciones científicas. Fue una sorpresa para mí, pero también otras personas han comentado mi sensibilidad empresarial y cómo parezco tener una buena comprensión de las cuestiones de personal. El gerente de mi último trabajo mencionó esto en mi informe de colocación.

**P** ¿Escogería el mismo curso otra vez si tuviera tiempo?

**R** Sí, lo haría. Me gustó, obtuve un buen grado y estoy seguro de que me ha ayudado a desarrollar una serie de habilidades y cualidades personales. Escribo con más efectividad, organizo mejor mi tiempo, sé cómo buscar información relevante, y eso es todo por encima de los conocimientos académicos que he adquirido.

(R) Bueno, hubiera preferido poder hacer algo con un mayor énfasis en tecnología de la información, pero he disfrutado mucho mi carrera y me he vuelto muy bueno para trabajar con plazos, laborar con los demás y para la organización de mi propia carga de trabajo.

(P) Dejando a un lado sus conocimientos académicos, ¿qué habilidades ha adquirido estando en la universidad?

(R) He obtenido varias habilidades: organizar mi carga de trabajo para las tareas, buscar información, cumplir plazos y trabajar en proyectos conjuntos con otros estudiantes, han sido algunas de las más significativas.

(R) Al volver a la universidad como estudiante maduro, he aprendido mucho sobre administrar el tiempo y la buena planificación. Tengo una familia joven y también he tomado trabajos de medio tiempo para ayudar a mis finanzas. He cumplido con todos mis plazos y espero que me vaya bien en mis exámenes finales.

(R) Al vivir fuera de casa por primera vez, rápidamente aprendí lo difícil que era administrar un presupuesto ajustado, pero me ha hecho muy bien y he aprendido mucho sobre tomar decisiones, resolver mis problemas personalmente, y creo que he obtenido una gran cantidad de sentido común.

## Recomendación efectiva

Sea entusiasta: las tres respuestas son diferentes y subrayan una variedad de beneficios potenciales. Lo que tienen en común es que todas son entusiastas y demuestran que el candidato ha pensado en lo que ha obtenido de sus experiencias. También hacen hincapié en el hecho de que muchos empleos y profesiones están buscando cualidades y habilidades muy similares entre sus empleados.

(P) Anteriormente hemos empleado a graduados y han tenido buenas ideas, aunque un poco débiles para seguir adelante con el trabajo. ¿Cómo sé que usted no sería así?

(R) Tenía un empleo de medio tiempo en un restaurante local mientras estaba estudiando y sin duda me enseñó mucho sobre cómo tratar a los clientes, llevarme bien con el personal y detectar dónde había trabajo por hacer. Al laborar en un proyecto conjunto con otros estudiantes, aprendí a asumir la responsabilidad de mis tareas particulares y descubrí lo frustrante que es trabajar con personas que no hacen su parte. Creo que le estoy ofreciendo una gran cantidad de habilidades de sentido común para el trabajo y mi título es sólo una parte de todo eso.

**R** Trabajé en un banco durante dos años antes de ir a la universidad, así que ya estaba familiarizado con una rutina de trabajo antes de empezar mi curso. El curso ya se ha sumado a mis habilidades, especialmente con la planificación de mi carga de trabajo, cumplir plazos y formular respuestas a los problemas.

**P** **Ha estado desempleado durante un buen tiempo desde que terminó su grado; ¿cómo se ha mantenido motivado?**

**R** Al principio era fácil ser positivo, después de todo, muchos de nosotros estamos en el mismo barco. Con el paso del tiempo me di cuenta de que debía darle estructura a mi vida y a mi búsqueda de trabajo. También he realizado algunos trabajos como *freelance* que han mantenido mi entusiasmo. No siempre ha sido fácil, pero todavía me siento muy optimista respecto a mis oportunidades.

**P** **¿Qué partes del curso de formación para profesor le ofrecieron más satisfacción?**

**R** Todo el curso fue excelente, pero mi práctica docente final fue muy agradable. Me gustó la escuela donde estuve y mi confianza para lidiar con los alumnos; mis ideas sobre cómo enseñar de manera efectiva realmente se desarrollaron para esa etapa del año, por lo que era capaz de invertir mucho y obtener una gran cantidad de vuelta.

**P** **¿Qué partes de su curso le dieron mayor satisfacción?**

**R** Estaba esperando los módulos de estudios empresariales en la carrera, pero cuando ocurrieron disfruté de las aplicaciones prácticas de la tecnología informática para resolver problemas comerciales. Mi proyecto en el desarrollo de una base de datos especializada cristalizó ese gusto.

## Pesadilla a evitar

Uno de los solicitantes que estaba en un curso de administración del medio ambiente decidió llevar algunas lechugas que afirmaba haber cultivado como parte de la evidencia de su proyecto práctico. Su gran error fue dejar estos elementos de la evidencia viviente de su arduo y exitoso trabajo en sus envoltorios del supermercado.

**P** ¿Hubo algunas partes de su curso que encontró difíciles?

**R** Para empezar, encontré la estadística realmente muy difícil. Nunca había disfrutado mucho de las matemáticas, por lo que fue una verdadera lucha. Ahora estoy muy contento de tener que hacer esto porque mis habilidades numéricas han mejorado mucho y he aprendido mucho de cómo abordar algo que me resulta complicado. Aprobé estadística con una gran y respetable calificación final.

**R** Al principio, siendo responsable de gran parte de mi tiempo, fue muy diferente a la escuela y no estaba acostumbrado a ello. Asistí a algunas clases de técnicas de estudio durante mi primer año y adquirí consejos y recomendaciones muy útiles sobre cómo planificar el tiempo y el trabajo. Ahora, ese tipo de cosas se han convertido en algo automático para mí, y me gusta el sentido de que lo tengo para hacer que algo suceda y producir oportunamente la información adecuada dentro de un plazo determinado.

**P** Si esto fuera necesario en el futuro, ¿cómo se sentiría estudiando medio tiempo mientras trabaja?

**R** Estaría muy contento de hacer esto, en especial si fuera algo directamente relacionado con lo que estuviera haciendo en el trabajo. Me gusta la idea de poder relacionar las cuestiones prácticas con el estudio académico. Sentí que partes del curso que acababa de completar tenían mucho más sentido una vez que tuve algo de experiencia laboral. Creo que preferiría estudiar algo que conduzca a una calificación formal, pero no sería esencial.

🅟 Estábamos esperando a alguien con un título. ¿Nos puede convencer de que, a pesar de no tener uno, es la persona adecuada para el trabajo?

🅡 Estoy muy seguro de que podría hacer el trabajo. Vi cuidadosamente las habilidades que menciona en su anuncio y la descripción del puesto, y me parece coincidir muy bien con mi experiencia. Mi tiempo en la administración del hospital me ha dado muy buena capacidad organizativa y mucha experiencia para lidiar con el público. Trabajé con algunos ayudantes de director titulados y nos llevamos muy bien. Tener o no un título no parecía ser un obstáculo para trabajar juntos de manera constructiva. Por supuesto, estaría feliz de hacer un curso nocturno en cualquier aspecto de la administración, si consideraran que esto sería útil.

(Siempre es incómodo cuando los anuncios dicen algo como "de preferencia con título" en lugar de "título esencial", porque parte de ti quiere preguntar por qué te llamaron para una entrevista si te van a decir que preferirían a alguien más. Todo lo que puedes hacer es mantener la calma y ser lo más positivo posible.)

🅟 ¿Qué le hizo decidir que la universidad era la opción adecuada?

🅡 Al principio pensé si debía trabajar un año o dos, pero todavía estaba disfrutando mi formación. Conocía el curso que deseaba realizar y me pareció que mientras trabajara medio tiempo para ayudar a mis finanzas y tener experiencia en el trabajo, sería una buena decisión. Me gusta la idea de ser capaz de establecerme en la escalera profesional con rapidez y ponerme verdaderamente en marcha.

🅡 Había estado impaciente por salir de la escuela, empezar a ganar dinero y hacer una carrera. No me importó mi trabajo en la oficina administrativa, pero me di cuenta de que el nuevo personal que llegó con títulos y otros diplomas a menudo comenzaban con un trabajo más interesante que el mío y comencé a pensar que un título sería útil. Tras haber tenido un descanso en los estudios, me sentí mucho más motivado de volver y realmente obtener algo de ello.

**R** A los 36 años de edad, fue una decisión muy importante para mí, pero siempre quise estudiar derecho y siempre había ahorrado para vivir, para la educación de mi familia y otras cosas antes que mi formación. Al principio fue difícil escribir ensayos, presentaciones de seminarios y exámenes, pero lo he disfrutado, he hecho bien y sé que mi experiencia de vida y otros puestos de trabajo me han permitido desarrollar un gran sentido común y una verdadera habilidad para trabajar con otras personas.

**P** Veo que hizo una maestría inmediatamente después de su licenciatura. ¿No hubiera sido más útil algo de experiencia laboral?

**R** Ponderé las dos opciones, pero al final decidí completar la parte académica de mi educación y tener esa calificación adicional para ofrecerla con los empleadores. Me gusta la idea de poder concentrarme actualmente 100 % en mi trabajo. He realizado varios trabajos de medio tiempo en una gran variedad de lugares y éstos ciertamente me han ofrecido una buena base con los principios del trabajo. Además, mi curso de maestría hace un gran hincapié en la solución de problemas comerciales prácticos.

(Ocupe algún tiempo para trabajar con las respuestas basadas en algunas de las ideas expuestas con anterioridad, pero que aplican directamente a su situación. Recuerde no sonar defensivo durante la explicación de sus actos y elecciones. El entrevistador está tratando de averiguar cómo se prepara para tomar decisiones, analizar la información y evaluar su propio desempeño.)

**P** ¿Cuál fue la tarea más difícil que tuvo que enfrentar mientras estaba en la universidad / colegio?

**R** Lo más difícil fue una disertación de 15 000 palabras y las fuentes de información que estaba usando fueron muy variadas –la biblioteca de la universidad, departamentos gubernamentales y negocios locales. Tuve que ser muy persuasivo para obtener parte de la información que necesitaba, porque tenía mi fecha límite para trabajar y sin embargo no quería colocarme del lado equivocado de las personas que me estaban haciendo el favor. Fue una experiencia realmente útil y ahora estoy mucho más seguro para la planificación de grandes proyectos.

**P** ¿Cómo describiría la contribución que hizo para los debates en seminarios y tutorías?

**R** Bueno, la contribución que hice cambió y se desarrolló durante los tres años que estuve allí. Nunca fui la persona que dijo la mayor parte, pero traté de asegurarme de que lo que decía fuese relevante e interesante, y me volví mucho mejor escuchando lo que otras personas también comentaban, en lugar de sólo esperar para decir mi parte. Me gusta el intercambio de ideas y puedo tener mucho éxito persuadiendo a alguien con mi punto de vista, si pienso que vale la pena.

(Añada un ejemplo de alguna ocasión donde haya influido en la opinión de una persona o un grupo.)

**P** Ha dicho mucho acerca de su curso y lo que obtuvo de él. ¿Qué más aprendió en la universidad?

**R** Fui elegido como representante de nuestro curso en el comité de la facultad durante mi segundo año. Esto significaba tener la responsabilidad de plantear asuntos de interés para los estudiantes con el personal superior de la facultad, discutir esos temas y, cuando había un problema, producir una solución satisfactoria para todos en colaboración con el personal académico. Un gran éxito que tuve fue ayudar a obtener horarios más amplios en la biblioteca, de manera que los estudiantes con compromisos de familia o trabajo pudieran beneficiarse de un servicio más flexible.

**P** ¿Cómo se preparó para los exámenes?

**R** Para el momento en que hice mis exámenes finales ya había desarrollado un método muy claro de trabajo con calendarios de revisión, donde laboraría preparando notas y notas más breves de los temas que estaba revisando, leyéndolos para que sirvieran como recordatorios muy rápidos de todo el material consagrado a la memoria. De hecho creo que algunas de mis asignaciones eran una preparación para trabajar mejor, porque todavía había una fecha límite a cumplir e información que investigar y presentar, lo cual fue más una prueba del manejo de mi tiempo y habilidades de planeación que los exámenes no vistos.

**P** **Parece que ha dejado la búsqueda de trabajo hasta después de completar sus estudios. ¿Fue ésta una elección deliberada?**

**R** Sí lo fue y sé que puede parecer una decisión ligeramente arriesgada. Realmente quería concentrarme para obtener los mejores resultados posibles en mis exámenes. Me parece que lo bien que te vaya está muy claramente reflejado en las posibles aperturas del mercado de trabajo y por ello no quería limitar mis oportunidades. Ha significado ser capaz de concentrarme profundamente en los empleos y en las empresas que me interesan, haciendo bastantes investigaciones e incluso hablando con la gente de la compañía, siempre que esto resulta posible. Desde luego que también estaba realizando mi trabajo de medio tiempo y, como tuve una promoción durante los últimos seis meses, esto también fortaleció mi CV y aumentó mi experiencia.

**P** **¿Cómo financió su curso de derecho/diploma urbanístico/ certificado de mercadotecnia?**

**R** Me las había arreglado para ahorrar algo de dinero, trabajando durante un año inmediatamente después de terminar mi grado, pero también debí tramitar un préstamo bancario. Hubiera sido genial no tener que endeudarme, pero obtuve el título que deseaba y el curso fue muy agradable, práctico y relevante, por lo que valió la pena pedir el dinero prestado.

**P** **¿Por qué eligió estudiar medio tiempo en lugar de tomar un curso de tiempo completo?**

**R** Fue una elección difícil porque una parte de mí quería seguir adelante y completar los estudios, pero realmente sentí que estaría mejor tanto financieramente como en términos de desarrollo profesional si continuaba trabajando a lo largo de la carrera, y ahora he laborado en la misma empresa durante los últimos dos años y medio. Sé que perdí algunos aspectos de la vida estudiantil, pero lo compensé asegurándome de nunca perder alguna conferencia, asistiendo a los eventos sociales de la facultad cada vez que podía y desarrollando amistades con los estudiantes de tiempo completo, así como con la ruta de medio tiempo en el curso.

🅟 Dice haber completado un título vocacional. ¿Cuál es la diferencia entre ése y cualquier otro grado?

🅡 Bueno, hice el mío en dos años, que aproximadamente resulta equivalente a dos tercios de un grado, pero en realidad me dio la oportunidad de trabajar con jefes y ganar algo de experiencia práctica al trabajar en grandes departamentos de TI (Tecnologías de la Información). Fue bastante intenso, así que me acostumbré a estar sumamente ocupado.

## 🏵 Recomendación efectiva

Nunca trate de sonar muy inteligente o de hacer que el entrevistador se sienta excluido, crea una terrible impresión. Evite la jerga y no utilice acrónimos confusos cuando esté hablando sobre su educación. No todos los reclutadores están familiarizados con los HND (Altos Diplomas Nacionales, por sus siglas en inglés), NVQ (Calificaciones Vocacionales Nacionales), etc. Asegúrese de que ambos, usted y el entrevistador, sepan de lo que están hablando.

Las preguntas en este capítulo le dan una idea de la gama de temas que pueden ser cubiertos. También encontrará que muchas de las preguntas relacionadas con su historia laboral, su personalidad, motivación y ambiciones se basarán en las cualidades y experiencias desarrolladas a través de su formación (estos temas se abordan en los capítulos 5 y 6).

Hay algunas preguntas que casi siempre surgen. Trabaje las que se aplican a su situación y prepare respuestas animadas y convincentes.

- ¿Por qué dejé la escuela/universidad en el momento que lo hice?
- ¿Por qué elegí una determinada universidad/escuela/establecimiento de capacitación?

- ¿Cómo manejé los obstáculos que afectaron mi elección?
- ¿Por qué escogí mis asignaturas académicas/curso de capacitación?
- ¿Cómo se relaciona mi elección de carrera con mis estudios/formación?
- Si no, ¿qué explicación puedo ofrecer?
- ¿Qué cualidades personales me ha ayudado a desarrollar la universidad/escuela?
- ¿Qué habilidades me ha ayudado la universidad/escuela a desarrollar?
- ¿Qué me gustó más de mi curso?
- ¿En qué fui particularmente bueno?
- ¿Hubo algo que encontré difícil en mi carrera?
- ¿Cómo abordé esta dificultad?
- ¿Por qué elegí estudiar en lugar de trabajar?
- ¿De qué manera me ha preparado mi carrera para trabajar?

Escriba las respuestas de cualquiera de estas preguntas que sean relevantes para su situación, de modo que se familiarice con todas las respuestas y pueda recordar la información sin que suene artificial o ensayada.

## DESPUÉS DE LA ESCUELA

Si acaba de salir de la escuela con GCSE, niveles A** o NVQ (National Vocational Qualification)***, las preguntas que afronta pudieran no ser tan quisquillosas, pero los empleadores aún estarán ansiosos por saber más sobre lo que estudió en qué fue bueno, qué encontró difícil o fácil y por qué eligió las decisiones que tomó.

**P** ¿Por qué dejó la escuela tan pronto como había terminado sus exámenes GCSE? ¿Por qué no se quedó en la escuela?

---

** Evaluaciones en las que cada alumno elige materias que desea presentar. [N.E.]

*** Se trata de títulos laborales que se otorgan por trabajos realizados en alguna rama específica (contabilidad, hotelería, etc.). [N.E.]

(Esta pregunta no aplicará por mucho tiempo, dado que todos los estudiantes tendrán que permanecer bajo alguna forma de educación hasta los 18 años.)

**R** Consideré quedarme, sobre todo porque los resultados de mi GCSE fueron bastante buenos, pero realmente había disfrutado mi experiencia laboral en uno de sus salones de belleza, así que decidí que haría bien empezando a laborar en lo que me gustaba lo más pronto posible. Me gusta la idea de aprender a través del trabajo, y sé que éste es un trabajo que quiero realizar.

**P** ¿Qué diferencias encontró entre estar en la escuela y estar en la universidad?

**R** Me gustó mucho el ambiente en la universidad, sentí que se me otorgaba mucha más responsabilidad para seguir adelante con mi trabajo y, a pesar de que al principio fue un poco difícil, creo que realmente mejoró mi actitud hacia el trabajo.

**P** ¿Qué le hizo elegir una NVQ en los servicios de alimentos más que optar por niveles A?

(Éste es sólo un ejemplo, puede sustituir "servicios de alimentos" por cualquier curso de formación vocacional).

**R** Estaba dispuesto a permanecer en la escuela, pero me gustó más la idea de hacer algo que me entrenara para una carrera en particular, en lugar de algo de composición abierta, como los niveles A. Tenía un empleo sabatino en un café y disfrutaba tratando con los clientes y lo relacionado con la comida, pero creí que este GNVQ**** me ayudaría a calificar como muy buen cocinero en el largo plazo.

**P** Veo que hizo un nivel A en estudios generales; ¿qué es esto exactamente?

---

**** Es un diploma nacional de acreditación profesional.

Ⓡ Realmente lo disfruté. Discutíamos y escribíamos sobre toda clase de temas actuales, desde política hasta atención médica, abuso de drogas y el suicidio asistido. Verdaderamente me ayudó a poner los argumentos en conjunto, pero también a escuchar otros puntos de vista. Me ha dejado decidido a votar cuando tenga la oportunidad y a involucrarme más en mi comunidad local.

Ⓟ **¿Qué materias le gustaron más?**

Ⓡ Inglés, historia y tecnología de la información. Tecnología de la información es la que considero que será más útil en el trabajo. He tenido mi propia PC desde hace cinco años y disfrutaré cualquier tipo de trabajo donde tenga la oportunidad de utilizar TI a un nivel más avanzado, desarrollando aún más mis habilidades. Me agradaría mucho ir a clases nocturnas o realizar breves cursos para estar mejor calificado.

Ⓟ **¿En qué materias fue bueno?**

Ⓡ Tuve mis mejores resultados en ciencias y matemáticas. Realmente tuvimos buenos maestros para estas materias, pero no creo que sean las materias que más me interese utilizar en el trabajo, aunque sé que las matemáticas siempre serán útiles. Sin embargo, lo hice bastante bien en la mayoría de las materias, más que tener una que fuera mucho mejor que las demás.

Ⓟ **¿Hubo algunas materias en las que no fue bueno?**

Ⓡ Idiomas. Tomé francés y alemán, pero los encontré difíciles. Quise ir bien en matemáticas, inglés y ciencias, lo cual valió la pena porque he pasado las tres con buenas calificaciones.

Ⓟ **Si pudiera tomar una materia que nunca haya estudiado, ¿cuál sería?**

Ⓡ Tomaría un idioma extranjero, tal vez mandarín o japonés. Estoy muy interesado en trabajar para una empresa con una sólida base internacional y estoy seguro de que alguno de estos idiomas sería un activo. Obtuve buenas notas en francés y alemán, por lo que creo que tengo un poco de facilidad para los idiomas.

**(P)** **¿Qué me dirían sus maestros si les preguntara por su comportamiento en el aula?**

**(R)** Realmente creo que hablarían bastante bien, especialmente en los últimos dos años. Una vez que estaba trabajando para mis exámenes, realmente comenzaba a poner atención y muy rara vez faltaba a la escuela. Creo que he crecido mucho en el último año o dos.

**(P)** **Ha tenido buenos resultados en niveles A. ¿Por qué ha decidido aplicar para nosotros, en lugar de ir a la universidad y solicitar nuestro esquema de entrenamiento para graduados?**

**(R)** Pensé en la universidad, pero sé que quiero unirme a la fuerza policial y tengo muchas ganas de aprender en el trabajo. Sé que sería un poco mayor si después me uniera a la universidad, pero su entrenamiento se ve muy minucioso y quiero aprender sobre situaciones reales lo antes posible.

Independientemente del nivel al que llegó con su educación, los empleadores observarán cómo ha contribuido con su elección de carrera y su progreso, así como las habilidades que esto le ha dado, y que puede aprovechar efectivamente en el lugar de trabajo.

## Recomendación efectiva

No se deje intimidar: recuerde que ninguna de estas preguntas significa que el entrevistador piensa que ha hecho una mala o equivocada decisión, ellos simplemente quieren asegurarse de que ha analizado las opciones y ponderado los pros y los contras cuidadosamente. Están viendo su actitud para tomar decisiones responsables que afectan su vida. Necesitan la seguridad de que no va a cambiar de opinión un par de semanas después de haber iniciado el trabajo.

Este breve cuestionario le ayudará a recordar las habilidades, cualidades y atributos que su educación ha ayudado a desarrollar. Elementos de puntuación del 1 al 5.

| En escasa medida | 1 | 2 | 3 | 4 | 5 | En gran medida | |
|---|---|---|---|---|---|---|---|
| *Desarrollo personal* | | | | | | | *Puntaje* |
| 1. Habilidad para aprender de su propia experiencia. | | | | | | | |
| 2. Capacidad para reflexionar sobre sus experiencias. | | | | | | | |
| 3. Habilidad para tomar decisiones. | | | | | | | |
| 4. Habilidad para buscar información. | | | | | | | |
| 5. Habilidad para formar conceptos. | | | | | | | |
| 6. Capacidad para aprender algo nuevo. | | | | | | | |
| 7. Habilidad para evaluar sus fortalezas y debilidades. | | | | | | | |
| 8. Capacidad de cumplir con plazos. | | | | | | | |
| 9. Habilidad para organizar información. | | | | | | | |
| 10. Habilidad para planificar el futuro. | | | | | | | |
| 11. Habilidad llegando a soluciones imaginativas para los problemas. | | | | | | | |
| 12. Trabajar en cooperación con otras personas para lograr un objetivo común. | | | | | | | |

La familiaridad con su educación debe convertirse en su segunda naturaleza, antes de empezar a discutirlo en las entrevistas de trabajo.

## SUMARIO Y RECORDATORIOS

Revise su nivel educativo y manténgase listo para promover sus éxitos y ser positivo acerca de sus elecciones.

1. Si tiene los resultados del examen, asegúrese de saber cuáles son.
2. Asegúrese de poder encontrar sus certificados. Éstos no suelen ser solicitados, pero es molesto si sí y no puede encontrarlos.
3. Si está en espera de los resultados, ofrezca una predicción razonablemente precisa, pero optimista, de lo que espera lograr.
4. Hable con el profesor, tutor o entrenador que le gustaría tener como su árbitro académico o educativo. Si se los deja saber anticipadamente, es más probable que digan cosas buenas de usted y sean capaces de pensar más en lo que dicen.
5. Utilice el cuestionario en este capítulo para organizar sus respuestas.

# Capítulo 3

## Trabaje para impresionar

### Haga que funcione su trayectoria laboral

Su trayectoria laboral puede consistir en cualquier cosa, desde un trabajo sabatino o la ronda papelera mientras estaba en la escuela, hasta veinte años o más de experiencia práctica, profesional, técnica o de gestión administrativa en su campo de elección laboral. Donde quiera que se encuentre sobre este camino, su trayectoria laboral claramente es del interés de su empleador prospectado. Querrán saber cómo encaja con sus ambiciones y su carrera en general, lo que haya hecho que pudiera ser de relevancia directa con el puesto que ahora esté buscando, y lo que haya aprendido respecto a los estilos de trabajo a través de sus empleos anteriores. Estarán buscando evidencia de un camino continuo de desarrollo, aunque esto pueda incluir algunos cambios de dirección y algunas laterales, más que movimientos ascendentes.

 **Recomendación efectiva**

Los empleadores querrán saber la diferencia que puede representar si le ofrecen un empleo, así que debe convencerlos de:

- Qué tan bien se llevará con sus colegas.
- Su habilidad para sacar adelante proyectos y asignaciones difíciles.
- El rango de ideas con el que puede contribuir.
- Qué tan bien motiva a los demás el tipo de miembro que es para un equipo.
- Y mucho, mucho más.

La calidad y características en las que estarán más interesados, variarán según el tipo de trabajo que esté buscando. El nivel de expectativas que tendrán, hasta cierto punto, está determinado por la experiencia que haya tenido. Cualquiera que sea la situación, esperarán que sea capaz de ofrecer respuestas claras y convincentes acerca de todos los aspectos de su experiencia laboral. El capítulo 9 abordará específicamente algunas de las posibles áreas de conflicto en su trayectoria de trabajo, tales como la pérdida de empleos o un registro irregular de trabajo. Este capítulo se enfocará en posibles preguntas enfrentadas por la mayoría de los candidatos.

Las preguntas y respuestas en este capítulo se refieren a ejemplos de candidatos que han tenido muy poca experiencia laboral y a aquellos que han conformado ya una carrera sustancial. Considere las preguntas y respuestas que reflejen mejor sus circunstancias.

 ## Ejemplo efectivo

Empiece considerando esta pregunta muestra y el modelo de respuesta. Ambas son seguidas por un breve análisis de lo que hace a esa respuesta ser un éxito.

**P** ¿Cómo mide su éxito en el trabajo?

**R** Mi principal medida de éxito es la retroalimentación de los clientes. Si colocan más órdenes con nosotros o nos recomiendan con otros clientes potenciales, entonces siento que es realmente una medida útil. Mantener a los clientes contentos y a menudo regresando con más negocios, al menos como medida de desempeño, probablemente resulta incluso más importante que conseguir clientes nuevos. También ocupo los registros de asistencia en el departamento como medida de éxito con mi administración. Estaría muy preocupado si mi departamento comenzara a desarrollar un alto ausentismo o problemas de salud. Tener un equipo contento y motivado, instintivamente, lo siento como un indicador importante.

### Por qué funciona esta respuesta:

- Muestra que tiene un buen sentido para los negocios.
- También que no sólo depende de una medida, mientras ignora otras posibles señales.
- Aprovecha la oportunidad para resaltar un par de puntos buenos sobre usted: toma muy seriamente su papel administrativo y su trabajo con el cliente.

- Reconoce que necesita monitorear su éxito, independientemente de cualquier otro sistema de apreciación y monitoreo puesto en marcha.
- Concluye con una agradable nota optimista.

---

Procure analizar algunas de las siguientes respuestas en este capítulo para observar por qué funcionan. Puede aprovechar la misma técnica cuando esté elaborando su propio modelo de respuestas.

**P** Veo que tuvo un empleo sabatino en la farmacia local mientras estaba estudiando para su GCSE. ¿Qué aprendió de dicho empleo?

**R** Me pareció muy emocionante, porque fue el primer empleo que tuve. Realmente disfrutaba charlar con los clientes y tuve un gerente de gran ayuda que se tomaba el tiempo para explicar cosas referentes al control de mercancía, reordenamiento y todo ese tipo de cosas. Terminé ayudando con el entrenamiento, cuando empezamos con asuntos nuevos para el sábado, y obtuve algunos días extra durante mis vacaciones escolares.

**P** Veo que tuvo un trabajo de medio tiempo como capturista mientras estaba estudiando. ¿Qué tan útil resultó?

**R** Era el último año de mi carrera y no quería algo que fuera intelectualmente muy desafiante, pero necesitaba el dinero. De hecho, me enseñó bastante con respecto a ser minucioso y capaz de mantener la repetitividad cuando es necesario. Fui ascendido a supervisor de algunos turnos y me relacioné muy bien con mis compañeros, observando la importancia que tiene para un equipo bajo presión, funcionar juntos correctamente. Mis conocimientos de tecnologías de la información ayudaron a que pudiera resolverles algún que otro problema y eso fue muy satisfactorio.

**P** ¿Tuvo alguna experiencia laboral mientras era estudiante?

**R** Sí, trabajé dos semanas con una compañía local de transporte reservando camiones para *tours*. Pasé mucho tiempo en el teléfono y aprendí a ofrecer cotizaciones. Fue magnífico, representó un cambio con respecto a la escuela, pero también permitió darme cuenta de que realmente valía la pena trabajar para mis exámenes.

**Recomendación efectiva**

Los entrevistadores no deberían realizar preguntas que le lleven a decir sí o no; si lo hacen, debe ser usted quien lo compense.

**(P)** Veo que su curso de estudios comerciales incluía un año de experiencia laboral. ¿Cuáles son las tres cosas más significativas que aprendió ese año?

**(R)** Estuve encantado de conseguir un lugar en el departamento de relaciones con el cliente de una compañía tan grande de telecomunicaciones y realmente me enseñó bastantes cosas, pero las tres más significativas fueron la manera de trabajar como parte de un equipo, realizar las preguntas correctas a fin de poderme volver efectivo con rapidez y, sobre todo, sentido común. Nunca puedes predecir con exactitud la forma que tomará una encuesta y no siempre cuentas con una respuesta estándar, así que debes pensar con los pies en la tierra y ofrecer algo tangible.

**(P)** Ha aplicado para una posición permanente con nosotros, pero veo que ha estado trabajando temporalmente en diversas compañías durante los últimos tres años. ¿Por qué?

(El entrevistador quiere saber si tiene lo necesario para mantener un empleo permanente.)

**(R)** Tras decidirme por la administración hotelera, siempre me ha gustado la idea de trabajar para un operador independiente en lugar de una gran cadena, por lo que decidí obtener tanta experiencia valiosa como pudiera en todos los aspectos del trabajo hotelero, mientras esperaba que llegara la oportunidad correcta. Como puede observar, muchos de mis empleos temporales han sido con las grandes cadenas y he aprendido mucho, lo cual confirma que deseo trabajar en algún lugar donde haya mayor alcance para el instinto personal y también algunos valores muy tradicionales con la antigua modalidad de servicio al cliente.

**R** La verdadera razón de estar intentando fue que aún no realizaba una decisión definitiva. Pensé que podría obtener experiencia de diferentes ambientes laborales y de los diversos tipos de trabajo administrativo en varias organizaciones. La experiencia fue realmente útil y, por mucho, me mostró que prefiero trabajar para una compañía más pequeña como la suya, donde me siento bastante más involucrado y comprendo diversos aspectos de su trabajo y de sus clientes. Me gusta ser parte de un equipo ocupado y eso genera lo mejor de mí.

**P** Por el momento sólo podemos ofrecerle algún contrato de corto plazo, ¿aún así está interesado?

**R** Sí, bastante, en especial porque realmente me ha impresionado lo que he aprendido sobre ustedes esta mañana. Esperaría que pronto tenga la posibilidad de ofrecerme algo más, pero estoy muy contento de aceptar esa clase de riesgo. Tuve mucha suerte la última vez que acepté un contrato corto.

**P** Desde que completó su carrera en la universidad, parece que principalmente ha realizado trabajos en bares y otros empleos rutinarios para servicios de comida. ¿De qué forma piensa que esto va a ayudarle como aprendiz en nuestro departamento de TI?

**R** La principal razón por la que tomé dichos empleos fue porque he estado estudiando medio tiempo para una maestría en tecnología de información comercial y realmente quería hacer bien esto, ya que mi primer grado en estudios americanos no resultó tan vocacional. He tenido mucho contacto con empleadores llevando a cabo entrevistas de información para el proyecto de mi carrera, lo que me ha puesto en contacto con su negocio. De hecho, el trabajo en el bar y la comida fueron útiles: aprendes mucho acerca de los clientes, la resolución de problemas y el pensamiento con los pies en la tierra.

**P** Su CV muestra que ha realizado varios trabajos voluntarios, pero no mucho trabajo remunerado. ¿Por qué?

(Esta pregunta le deja pensando si le piden que resalte los beneficios de su experiencia voluntaria, relacionándolos con esta actual aplicación, o sugiriendo que sólo trabaja cuando se le antoja –concéntrese en la primera opción.)

**Ⓡ** Mi actividad voluntaria ha sido muy variada: he trabajado en un hospital, para un grupo de jóvenes de la comunidad local y en un proyecto ambiental. Durante una época me encontraba laborando en los tres al mismo tiempo y terminé con una semana de 50 horas de trabajo. He aprendido mucho sobre el trabajo en equipo, negociaciones y la buena organización, pero sobre todo fue el levantamiento de fondos para estos proyectos que me permitió clarificar que era eso, el trabajo promocional y la mercadotecnia, donde podía ver mi futura carrera.

## Recomendación efectiva

### Piense en términos de sus habilidades transferibles

Las habilidades transferibles son exactamente lo que dicen: una habilidad aprendida en determinada situación que puede aplicar en otra. Si puede resolver un problema de ingeniería, muy bien podría aplicar la misma lógica a un problema financiero. Si puede obtener un colorido esquema creativo para decorar su casa, podría tener la idea de un buen diseño para la portada de algún folleto, etcétera.

**Ⓟ** Entiendo que trabajó sin pago durante tres meses para una firma legal en Londres. ¿No cree que vale un salario?

**Ⓡ** Si no tuviera la confianza de que merezco un buen salario, no hubiera trabajado en esos términos. La carrera de leyes es muy competitiva, por el momento, y lo vi más como una oportunidad de ganar experiencia y demostrar mi nivel de habilidad y entusiasmo; si la firma no hubiera comenzado a hacer recortes de personal, imagino que me habrían ofrecido un puesto pagado. Las cosas salieron muy bien ahí, y dijeron que me darían una referencia muy buena.

**Ⓟ** Ha estado en su empleo actual por sólo 18 meses ¿Por qué ha decidido cambiarlo?

**R** Acepté el empleo porque tengo un interés general en el diseño de productos y fue un muy buen comienzo para mí, incluso cuando nunca había pensado mucho anteriormente en cortadoras de césped. Siempre quise participar en la industria de motores vehiculares, porque reconstruir viejos automóviles es una de mis pasiones. Cuando los vi anunciándose, sabía que era una oportunidad que no debía desperdiciar. De hecho he aprendido mucho trabajando con el equipo de diseño durante los últimos 18 meses.

## Recomendación efectiva

Identifique el hilo conductor que teje a través de las respuestas anteriores: aquél de las habilidades transferibles. Si como candidato ha tenido lo que parecería una experiencia de trabajo limitada o irrelevante, disperse esta noción inmediatamente. Ninguna experiencia laboral es inválida: todo le enseña algo y llevarle a analizar ese algo es lo que realizan los entrevistadores cuando le hacen el tipo de preguntas que acaba de ver. Orientadores y entrenadores que ayudan a los aplicantes a desmenuzar estas habilidades encuentran todo tipo de experiencia laboral previa de dónde extraer estas habilidades transferibles.

**P** Ha estado con su actual patrón durante 22 años. ¿Qué le lleva ahora a decidir aplicar en algún otro lado?

**R** Esos 22 años pudieron haber sido con una compañía, pero la compañía ha crecido, mi papel en ella ha cambiado en diversas ocasiones y he tenido varias promociones trabajando ahí. Comencé en el departamento de contabilidad con un sistema manual y ahora soy líder adjunto de compras, responsable de la instalación de nuestro último sistema electrónico. Me gusta la compañía y respeto su forma de trabajo, pero ciertamente me encuentro listo y calificado para aceptar un empleo como líder de compras, puedo ofrecer una gran parte de experiencia a su empresa. Podría continuar resaltando algunas de mis habilidades particulares si lo desea.

**R** Suena a mucho tiempo cuando lo pone así y supongo que 22 años en un departamento del gobierno es mucho tiempo, pero mi trabajo ha sido variado y actualmente administro un departamento con más de cien personas. Mi experiencia en desarrollo de políticas, y como consejero al respecto, me coloca en una posición ideal para tomar este puesto con ustedes. Mi experiencia en el servicio civil me ha ayudado a volverme bastante flexible, muy minucioso y bueno para interpretar información compleja. Estoy seguro de que podría utilizar estas habilidades de forma muy efectiva para ustedes.

**(P)** **Manejó su propio negocio durante tres años. ¿Cómo se siente encajando en una situación donde no tendrá la responsabilidad de todas las decisiones y donde el trabajo le será delegado por alguien más?**

**(R)** Fue emocionante llevar mi propio negocio de comida y funcionó bien. Construí una sustancial base de clientes satisfechos pero cada vez fue más y más difícil cumplir con la nueva legislación y creo, todavía más representativamente, que de hecho me faltó trabajar con otras personas. Trabajaba para empresas de comida antes de tener mi negocio y cuando partí, todavía lo estaba disfrutando. Me gusta trabajar en equipo, y tratándose de una actividad administrativa, estoy seguro de que deberé tener una considerable responsabilidad.

**(P)** **Veo que tenía un negocio que tuvo que cerrar después de dos años. ¿A que atribuye el fracaso?**

**(R)** Fue la recesión. Puede sonar predecible, pero simplemente caímos en problemas con muchas otras pequeñas empresas que nos debían dinero. Aun así gané mucho de esta experiencia; me ha enseñado a pensar con los pies en la tierra y a ser resistente bajo presión. De alguna forma también me ha endurecido respecto a buscar dinero prestado, lo que estoy seguro que apreciarían en el papel para el que estoy aplicando.

## Recomendación efectiva

Para asegurarse de ofrecer una buena impresión, espere preguntas enfocadas a su desempeño en el trabajo, sus éxitos, fracasos, satisfacciones, dificultades o actitudes con clientes y relaciones con colegas.

**P** ¿Qué diría sobre su actual gerente de trabajo?

**R** Ella diría que fui un miembro del departamento muy entusiasta y comprometido. Creo que en particular mencionaría que mantengo la calma cuando hay bastante presión y que no otorgo atención a la falta de detalle cuando estamos cercanos al vencimiento de un plazo.

### Recomendación efectiva

Si suena demasiado maravilloso podrían cuestionarle más, así que permanezca preparado para justificar su respuesta u ofrecer mayor información, respaldando lo que haya dicho.

**P** Todo eso suena muy prometedor, pero si se le pidiera dar cuenta de cualquier falta o debilidad, ¿qué podría decir entonces?

**R** Podría comentar que ocasionalmente me involucro en muchos proyectos a la vez, que me puedo dejar llevar un poco por el entusiasmo, debiendo disciplinarme para detener eso, y estar en mayor disposición de delegar algunos proyectos con los demás. Me he vuelto mucho más efectivo para delegar durante los últimos 18 meses.

**P** Ha estado en la administración por cinco años. ¿Qué podría decir el personal a su cargo si se le pidiera su apreciación?

**R** Tengo una gran relación con mi personal y estoy seguro de que señalarían el hecho de que siempre procuro escuchar las ideas y sugerencias de la gente, independientemente de su posición en el departamento. Dirían que los estimulo a tomar responsabilidad personal, pero que (normalmente) soy consultable cuando se encuentran en algún problema.

(Su respuesta podría provocar una pregunta de seguimiento o incluso la necesidad de encontrar una bolsa para el mareo.)

**P** ¿Serán todos igualmente positivos? Deben existir aspectos en su estilo de administración con los que algunos de ellos resultarán menos entusiastas.

Ⓡ No estoy seguro de que sea mi estilo lo que en ocasiones encuentran difícil. He debido implementar algunas decisiones impopulares, por ejemplo, la introducción de listas de trabajo nocturnas que fueron completamente nuevas para nuestro departamento y que molestaron a gran parte del personal y causaron verdaderos problemas para muchos de ellos. Creo que ofrecer a la gente una explicación completa y honesta sobre el porqué se llevó a cabo la decisión e intentar ofrecer algo de flexibilidad durante su implementación ayudaron al personal a entender la situación, pero hay algunos que siguen molestos al respecto.

Ⓟ Dice caerle bien a su personal y desenvolverse bien como equipo. ¿Significa esto que es una presa fácil de manejar?

(Manténgase preparado para preguntas antipáticas como ésta.)

Ⓡ No, existe un mundo de diferencia entre involucrar al personal para consulta, comunicarse efectivamente con ellos y permitir que la gente se tome libertades. Mi sección tiene uno de los mejores registros en la organización respecto a bajas tasas de ausentismo y cumplimiento de tiempos, además de que la actitud para aceptar trabajo extra es muy sana.

Ⓟ Si ha tenido una evaluación del desempeño recientemente, ¿cuáles son las metas de trabajo para el próximo año?

Ⓡ Sí, tenemos una evaluación del desempeño cada año; la más reciente fue llevada a cabo hace cuatro meses. El punto principal que surgió fue que estaba listo para tomar una mayor responsabilidad administrativa y también para entrenar al personal nuevo. Como seguimiento de la evaluación, ya he tomado un curso en estilos efectivos de administración y otro en gestión de asuntos disciplinarios con el personal.

Ⓟ ¿Se ha encontrado en la posición de no llevarse bien con algún colega? ¿Cómo lo ha abordado?

Ⓡ Sí, en el empleo anterior al actual verdaderamente no hacía química con nuestro líder de relaciones públicas; ambos estábamos al mismo nivel, por lo que ninguno de los dos podíamos aprovechar el rango para resolver el problema. Finalmente, decidí atacar el problema de raíz y lo persuadí para tener una charla a fin de intentar establecer una estrategia de trabajo efectiva entre nosotros –conmigo en mercadotecnia–, ya que realmente lo necesitábamos. Tuvimos una discusión bastante franca y aunque no puedo decir que terminamos como los mejores amigos, ganamos el respeto hacia la labor de cada uno y ciertamente juntos trabajamos de una manera más efectiva. Me dio mucho gusto haber tomado la iniciativa.

**P** Si solicitamos a alguno de sus colegas que describa una de sus fallas, ¿qué podrían decir?

**R** Mi último gerente podría decir que en ocasiones era muy impaciente con el personal. Encuentro frustrante cuando la gente no pone de su parte, especialmente cuando estamos tratando de respetar un plazo. He aprendido que tomar un poco de tiempo para explicar el porqué las cosas deben hacerse ahora, así como para recordarle a la gente sus obligaciones, arroja buenos resultados y obtengo una mejor respuesta trabajando de esa forma, así que he aprendido bastante para obtener lo mejor de la gente y me he beneficiado al sentirme mucho menos estresado.

## Recomendación efectiva

A veces sus razones para buscar una mejor posición se pueden deber a relaciones displicentes con colegas difíciles. Nunca declare esto como la razón de su cambio de trabajo, las relaciones de trabajo son muy importantes para los empleadores, ya que todas se relacionan con la pregunta: ¿te adaptarás?

**P** ¿Cómo se mantiene al tanto bajo presión? Es un departamento muy ocupado al que ha aplicado para unirse.

**R** Disfruto una cierta cantidad de presión, me pone alerta y muy motivado. Hay límites e intento evitar que la presión se vuelva muy grande: planeo bien por adelantado mi carga de trabajo, pero en ocasiones surge lo inesperado sin importar lo bien que haya planeado. En mi actual empleo, como editor de producción, puedo tener todo listo para los plazos de la revista cuando repentinamente un cliente decide que quiere cambiar un anuncio o una fotografía; entonces debo discernir si en realidad hacer esto es posible sin retrasar la publicación y de no serlo, debo mantener la calma y tratar de asegurar que no perdamos al cliente. Ésa siempre es una situación muy presionada.

**R** He trabajado en servicios sociales durante ocho años, cada departamento en el que he laborado ha estado ocupado y he administrado una pesada carga de trabajo. Es estresante cuando manejas varios casos complicados al mismo tiempo, pero encuentro que la manera más útil de mantener el ritmo es hablando con gerentes y colegas para obtener algún apoyo, aprendiendo también a desconectarme y dejar el trabajo cuando salgo de la oficina. Solía ser algo difícil, pero me di cuenta que ir a nadar al final del día y tomar una clase en algo completamente diferente al trabajo –actualmente tomo un curso de italiano– verdaderamente me ayuda a desconectarme y ser más efectivo a la mañana siguiente.

**R** Realizar papelería de examinación es siempre uno de los momentos de mayor presión en el año, porque debo hacerlo minuciosamente y existe una fecha de vencimiento absoluta. Me conservo al tanto desarrollando una rutina realmente clara de mis actividades y manteniendo muy sencillo el resto de mi vida durante esas semanas. Desde luego que es un tipo de presión calculada; también existe la presión inesperada, tal como cuando se enferma o se va personal y debo planear toda la cobertura extra para el departamento, inevitablemente reflejando la presión en los demás. Involucrar a la gente y recordar agradecércelos ayuda a suavizar el golpe.

**P** ¿Cómo hace frente cuando sale mal un proyecto en el que está trabajando?

**R** Primero, evalúo los pasos que necesitamos tomar para minimizar el límite de daños y lidio con el problema inmediato. Una vez terminada la crisis, analizo lo que salió mal incluyendo a los colegas en la discusión, a manera de lograr apuntalar cómo podríamos evitar que vuelva a ocurrir lo mismo.

## Recomendación efectiva

No se apresure revelando un error o una debilidad, se sentirá mucho mejor concentrándose en sus puntos buenos.

## Pesadilla a evitar

Un gerente de desarrollo extranjero, altamente calificado, se encontraba de camino hacia una entrevista para un prestigiado puesto, pero llegó tarde porque estrelló su Mercedes con la parte trasera de un camión. Llamó por asistencia y se las arregló para no llegar tan tarde, a diferencia del presidente del panel entrevistador, quien se disculpó, pero dijo que se había quedado atascado detrás de algún idiota que se había estrellado con la parte trasera de un camión, lamentándose de que a tales personas se les permitiera conducir en las calles. El entrevistado decidió no revelar la historia.

La perfección es imposible de alcanzar y los entrevistadores lo saben, pero quieren comprobar que sea capaz y que esté seguro y dispuesto a realizar el trabajo. Desean una comprensible seguridad de no estar a punto de emplear a alguien con tendencias psicopáticas o a un contador que en tres meses desaparecerá con los fondos de la compañía. Es claro que de ser su intención, no lo comentará durante la entrevista, pero su empleador prospectado intentará a través de entrevistas, y tal vez de pruebas psicológicas, asegurarse de que sea un ser humano razonable.

## Recomendación efectiva

Considere cuidadosamente las debilidades que decida revelar cuando se le pregunte por ellas en la entrevista. "No tengo ninguna" es una respuesta sin convicción y de inmediato muestra que la arrogancia o deshonestidad pueden estar entre sus cualidades personales menos agradables. Si de cualquier forma cree poder estar aceptando tendencias psicopáticas o se fugó con los fondos del club de té, podría ser una verdad que más valiera la pena guardar consigo. Considere las debilidades que se pueden ver como necesidades de entrenamiento, como áreas que podrían requerir de algún desarrollo y en las que ha comenzado a trabajar con éxito, o aquellas debilidades que pueden ser adaptadas para sonar como fortalezas: ser impaciente/entusiasta con respecto a algún trabajo, aceptando demasiados proyectos/ser un verdadero trabajador, etcétera.

Todas las preguntas acerca de su experiencia laboral se relacionan con la pregunta fundamental mencionada en el primer capítulo: ¿puede realizar el trabajo? ¿Llevará a cabo el trabajo? ¿Encajará en él?

## ✹ Recomendación efectiva

Aproveche esta oportunidad antes de su próxima entrevista para pensar con cuál de las siguientes palabras podría describir su estilo de trabajo; éstas ayudarán a construir algunas de sus propias respuestas.

| | | | |
|---|---|---|---|
| Perspicaz | Receptivo | Evaluador | Observador |
| Productivo | Reflexivo | Tomador de riesgos | Cuidadoso |
| Práctico | Cuestionador | Activo | Responsable |
| Cooperativo | Analítico | Decisivo | Partidario |
| Creativo | Minucioso | Medido | Dinámico |
| Eficiente | Independiente | Imaginativo | Comprometido |

Tenga en mente que utilizar cualquiera de estas palabras en su respuesta, tendrá un efecto mucho mayor cuando respalde sus demandas con situaciones actuales, problemas o desafíos con los que haya lidiado.

**Ⓟ** Dígame cómo su experiencia hasta la fecha le hace adecuado para este trabajo.

**Ⓡ** Empecé como reportero menor para el periódico local donde trabajo actualmente y fue una excelente manera de aprender las habilidades básicas para entrevistar, escribir, perseguir y dar seguimiento a las historias. La educación se convirtió en todo un tema para nuestra área debido al cierre y fusión de varias escuelas, lo que me dio la oportunidad de involucrarme verdaderamente en el asunto, construir una red de útiles contactos y estar bien informado. Sé que todo esto sería relevante para una publicación nacional como la suya. Me siento listo para continuar; es algo que siempre he querido y mi actual editor ha sido realmente estimulante, incluso cuando dice que no desearía perderme.

**Ⓡ** Entre las muchas cosas que hice durante mi época como gerente de tienda, aprendí bastante sobre nuestra línea de productos de moda: aquello que se vende bien y los artículos que considera que resultarán grandiosos, simplemente no parecen tener el atractivo vital para los clientes. Disfruto muchos aspectos de la administración, especialmente cualquier cosa relacionada con exhibición y comercialización, y pienso que contribuiría muy bien para el departamento de compras. Considero tener un verdadero tacto para lo que desean los clientes y una aproximación realista con el costo.

**R** He sido enfermera en este hospital durante seis años y como también tengo diploma, me encuentro en la posición ideal para aprovechar su esquema de entrenamiento administrativo. Me encanta trabajar con pacientes, pero supongo que una de mis grandes satisfacciones radica en entrenar y apoyar al personal nuevo en la guardia, ayudarlos a entender lo esencial que resulta su contribución tanto para la eficiencia, como para los altos estándares de atención al paciente. Me gustaría la oportunidad para continuar esta parte de mi trabajo y el esquema administrativo ciertamente me permitiría hacerlo. Creo que da resultado tener algunos gerentes que hayan surgido entre las raíces de la enfermería.

**P** ¿Cuál consideraría como su mayor fortaleza?

**R** Sin duda lidiar con la gente, mis habilidades interpersonales son muy buenas. Parece que soy capaz de proponerme justo al nivel adecuado, ya sea que esté presentando algo a la junta directiva o resolviendo algún problema con un cliente en el teléfono. Soy bueno para persuadir a la gente cercana con mi punto de vista, sin intimidarlos. Siempre disfruté de los debates y las discusiones en la universidad, lo que me convirtió en un buen negociador.

**R** Soy muy bueno deduciendo métodos para que un proceso pueda ser llevado a cabo de manera más eficiente, ahorrando tiempo y dinero. Me las arreglé en mi actual empleo para disminuir el número de procedimientos involucrados en nuestro sistema interno de pedidos, y a pesar de que mis colegas de entrada dijeron que no funcionaría, hoy en día va muy bien.

**P** ¿Cómo es su administración del tiempo? ¿Cómo planea su semana laboral, por ejemplo?

**R** Al final de la semana elaboro una lista con las tareas más representativas que permanecen pendientes para la siguiente semana y decido cuáles abordar primero. Normalmente organizo una breve reunión de equipo los lunes a primera hora, de manera que cualquiera puede hablar de alguna preocupación o consideración hacia donde probablemente existan verdaderos puntos de presión durante la semana.

**P** **¿Cómo se prepara para priorizar su carga de trabajo?**

**R** Tal vez deba ofrecerte un ejemplo. Como cabeza de departamento para una gran consultora de reclutamiento, una gran cantidad de puestos se dirigen a mí, y aunque parte se soluciona con otras personas, aún me enfrento a una charola llena cada mañana. Rápidamente acomodo todo en tres pilas. La primera es con las cosas que requieren de un seguimiento inmediato, por ejemplo, vacantes a procesar o seguimiento de clientes nuevos. Tengo una segunda pila de cosas relativamente importantes, invitaciones a conferencias, memorandos internos, etc., y otra tercera que muy bien podría estar destinada para el bote de basura –publicidad de productos irrelevantes y una infinidad de cuestionarios.

**P** **¿Qué acciones toma cuando tiene a miembros de su equipo que en realidad no se llevan, hasta el punto de afectar a los demás?**

**R** Hago mi propia evaluación de dónde pueden estar las fallas, pero reúno a dicho personal en una junta y doy la oportunidad de expresar aquello que encuentran difícil de su colega, sin permitirles insultos descarados, para luego preguntar por sugerencias para que la situación funcione mejor, desde luego asumiendo que ambos son buenos empleados y tienen fallas. Si sólo se trata del caso de una persona comportándose irracionalmente, entonces señalaría mi insatisfacción, solicitándole que realice mejoras.

**P** **¿Qué clase de contribución ofrece a un equipo o grupo de trabajo?**

**R** Habiéndome graduado el año pasado, soy relativamente nuevo en términos laborales, pero tomé parte en dos grupos de proyectos durante mi curso de ingeniería. Se me solicitó liderar uno de los proyectos y encontré verdaderamente desafiante motivar a los demás miembros del equipo para aprovechar todo su peso. Aprendí lo vital que es para la gente verdaderamente comprender sus tareas específicas y darse cuenta cómo se relacionan con todo el proyecto. En el segundo grupo tenía responsabilidad específicamente para relaciones industriales, reuniendo información de los jefes y trabajando cercano a ellos. Extraje mucho de esto, pero prefiero el papel de líder del equipo.

**P** ¿Cuál es la situación más difícil con la que ha debido trabajar y qué tanto éxito tuvo lidiando con ella?

**R** Cuando estaba trabajando como líder de finanzas en una organización educacional, tuve que implementar un recorte de 3 % sobre nuestro presupuesto anual a través de todos los departamentos, y mi tarea era deducir la manera de compartir esta disminución entre ellos: ya fuese que algunos debieran enfrentar mayores o menores reducciones, más que simplemente implementar un corte general. Fue complicado porque era nuevo, era una política antipopular y todos hacían un gran esfuerzo por convencerme de quedar perdonados del agobio de los recortes. Mantuve una mente clara, emprendí un minucioso análisis de los recortes en años anteriores y actividades potencialmente generadoras de ingreso en cada departamento, asegurando que mi decisión fuera transparente y comprendida por todos. No era popular en todos los departamentos, pero nuestras finanzas mejoraron durante el año siguiente, lo que realmente justificó mis acciones.

**P** ¿Cuál es el aspecto más satisfactorio de su empleo actual?

**R** Continúo disfrutando tratar con los pacientes y sus familias, pero pienso que los últimos dos años desarrollando programas de formación e inducción para nuevos miembros del equipo, me ha ofrecido la máxima satisfacción y dicha. Me da la impresión de que si el equipo recibe un buen entrenamiento y apoyo desde el minuto en que se une con nosotros, entonces la atención al paciente será de un estándar más alto y, en su momento, dicho personal obtendrá mucho más por su trabajo.

**R** La gestión para que un cliente realmente mayor se anuncie con nosotros ha sido un verdadero estremecimiento. Lo hemos intentado varias veces con anterioridad y siempre nos han eludido, pero debí conformar el paquete correcto y ofrecerles el precio adecuado, porque actualmente representan una gran fuente de ingreso para nosotros y la relación con ellos va muy bien.

**P** ¿Hay algo que no le guste de su empleo actual?

**R** Debo confesar que no me gusta alguna papelería del trabajo rutinario, especialmente cuando, en mi opinión, gran parte podría ser remplazada por un sistema en pantalla. He desarrollado la actitud de llevarla a cabo rápidamente para que no se apile o se atrase y es la manera en que he procurado hacerla más agradable, pero sin poder decir que es exactamente emocionante.

**P** Describa una situación donde haya tenido que lidiar con un cliente/miembro del público enfadado. ¿Cómo hizo frente y cuál fue el resultado?

**R** En los restaurantes encuentra a clientes enfadados; alguna vez uno, que a menudo acudía con clientes comerciales para el almuerzo, repentinamente se puso verdaderamente furioso quejándose de que el vino estaba mal y que debieron esperar mucho por su comida. En realidad estaba gritando, todos dejaron de comer y voltearon a su alrededor. Era el día libre del gerente y tuve que lidiar con él. Me mantuve muy tranquilo, hablé en voz baja y de inmediato le ofrecí otra botella de vino. Me disculpé por el retraso y expliqué que se debía a que todos los alimentos eran preparados frescos y que el *soufflé* siempre requería de algunos minutos más. Supongo que simplemente estaba teniendo un mal día, porque se calmó bastante rápido.

**R** Mi última compañía desarrolló un programa especializado para que un cliente gestionara su base de datos. El cliente continuaba modificando sus requerimientos y como resultado no le tuvimos el sistema listo y en funcionamiento para la fecha acordada. Como yo era el consultor de ventas que desde un principio lo atendió, me tocó tranquilizarlo y no fue fácil. Creo que ayudó estar preparado para disculparme de inmediato y también arreglé un acuerdo donde ofrecíamos algún soporte adicional para el sistema –poco más de lo que había sido acordado en el contrato original. Desde luego obtuve la autorización de mi director administrativo para hacer esto.

**R** Alguna vez un padre realmente se molestó y se tornó agresivo durante una velada de padres, porque su hija no había obtenido muy buenas calificaciones –en ese entonces yo era su profesor. Era una alumna conflictiva y no le había ido muy bien a pesar de que procuré ofrecerle atención y apoyo. Fue muy desagradable, pero intenté que el papá hablara de las cosas para las que su hija era buena, el porqué estaban funcionando bien, lo que le gustaba hacer en casa, etc., y tan pronto nos instalamos en una conversación apropiada, donde se dio cuenta de que yo conocía a su hija y que no sólo era un número ni una caja para ser inventariada, las cosas se tranquilizaron bastante rápido. Después de eso se involucró más con los estudios de su hija.

**P** ¿Qué haría si alguien revela un error que ha cometido?

**R** Si estuviera genuinamente inconsciente de haberlo cometido, entonces me disculparía inmediatamente y me ofrecería para hacer las cosas que pudieran remediar el asunto o minimizar cualquier efecto negativo que hubieran causado mis actos. Quiero decir, que si se tratara de disculparse con un cliente, entonces haría esto en lugar de intentar ignorarlo o pretender que no fue culpa mía. Es la forma como me gustaría que se comportara la gente que trabaja conmigo y establecería exactamente los mismos estándares para mi persona.

**P** ¿Qué haría si cayera en cuenta de que ha hecho algo con consecuencias potencialmente serias para su jefe?

**R** Afortunadamente es una experiencia que jamás he tenido y espero nunca tenerla. Si esto ocurriera, entonces lo primero que haría sería hablar con mi jefe directo siendo muy claro sobre lo que hice u olvidé hacer, así como tan abierto y dispuesto como me fuera posible hacia la situación. Procuraría no culpar a otras personas, pero si en diversas formas me encontrara desilusionado por mis colegas, entonces tendría que ser igualmente abierto al respecto. Ciertamente me ofrecería para hacer cualquier cosa que pudiera corregir la situación. Si existieran fallas en el sistema que hubiesen contribuido al problema, entonces podría sugerir cambios. Fundamentalmente, sin embargo, de encontrarme en el error, lo admitiría.

**P** ¿Cómo le iría creando relaciones con nuevos colegas de trabajo?

**R** Creo que la clave al unirte con un grupo nuevo, o encontrarte con otro grupo de colegas, está en escuchar y prestar atención a lo que dicen y a sus preocupaciones. Es importante hacer algunas contribuciones, sugerencias o comentarios desde un principio, pero no expreso muchas opiniones hasta no haber escuchado cuidadosamente y reflexionado al respecto. Aprovechar las oportunidades de ser útil también ayuda: conoces a personas y descubres problemas, tiempos pico y posibles causas de estrés.

Por supuesto que no cada encuentro incómodo en su historia laboral habrá tenido tan exitosos y felices resultados como estos tres, pero lo que el entrevistador desea saber es la manera en que lidió con la situación, y las estrategias y tácticas que empleó para procurar un buen resultado, incluso cuando en ocasiones no funcionaran. Recuerde, todas las preguntas y respuestas de este capítulo variarán según el empleo para el que esté aplicando.

### Recomendación efectiva

Resalte las habilidades y cualidades más apropiadas para el trabajo. Si está en una entrevista para la posición de asistente ejecutivo de alguien, entonces las alarmas sonarán cuando anuncie sentirse un líder natural y gustoso de tomar un firme control de las situaciones. Si está siendo entrevistado para liderar un proyecto o encabezar un departamento, entonces por todos los medios procure extender sus habilidades para escuchar, involucrando a los demás en el proceso de decisiones y permaneciendo consciente de sus fortalezas, aunque finalmente está ahí para liderar, motivar y tomar la responsabilidad de asegurar que el trabajo sea realizado a tiempo o de que su departamento se desempeñe fluida y efectivamente.

La clave para responder exitosamente a muchas de estas preguntas está en ser capaz de ilustrar sus respuestas con anécdotas de situaciones ocurridas en sus empleos anteriores y actuales. Si dice mantener bien el ritmo trabajando bajo presión, dé un ejemplo de cuando lo haya hecho. Si dice ser un efectivo líder de equipo, debería describir alguno que haya liderado y la manera en que resultó efectivo. Nunca asuma que el entrevistador conoce algo de esto; podrán ser hábiles, pero no son telépatas.

Una forma constructiva de planear sus respuestas para estas preguntas es observar su historia laboral y enlistar algunos de los puntos de aprendizaje más valiosos en cada puesto que ha desempeñado.

## Recomendación efectiva

La siguiente tabla le ayudará a organizar la información de su historia laboral y a familiarizarse con ella. Se puede desarrollar para ayudarle a formular su CV o completar algún formato de aplicación.

| Historia laboral | Aprendizaje | Logros | Dificultades |
|---|---|---|---|
| Empleo actual | | | |
| Empleo anterior 1 | | | |
| Empleo anterior 2 | | | |
| Empleo anterior 3 | | | |
| Agregue más empleos si así lo desea. | | | |

Las preguntas nunca son realizadas en categorías claramente relacionadas con la educación, la historia laboral, etc., pero ésta es una manera útil de organizar sus respuestas.

## SUMARIO Y RECORDATORIOS

Utilice su historia laboral, sin importar lo pequeña o grande que sea, para plasmar toda la experiencia que ha obtenido.

1. Revise su CV o formato de aplicación, en papel o electrónico, para recordar exactamente lo que su historia laboral comprende.
2. No elimine experiencias tales como el trabajo voluntario o periodos cortos de trabajo; esto es particularmente importante cuando sólo tiene una breve historia laboral.

3.  Si tiene colegas, amigos o gerentes amables, hable con ellos sobre sus fallas y fortalezas para clarificarles el panorama. Podría descubrir puntos positivos de los que ni siquiera estaba consciente, y si descubre alguno negativo, no necesita compartirlo durante una entrevista.

4.  Ocupe mucho más tiempo pensando en sus éxitos y fortalezas que en sus fracasos y defectos.

5.  Asegúrese de utilizar una gama de situaciones para demostrar sus puntos de venta; no construya todas sus respuestas alrededor de un proyecto o incidente.

# Capítulo 4

## ¿Es éste el lugar para usted?

Lo que necesita saber y cómo
hacerles saber que lo sabe

Es razonable para los empleadores desear saber por qué se ha acercado a ellos. De cualquier forma, les ha hecho saber mucho sobre usted a través de su aplicación, así que, ¿por qué no tener alguna información valiosa para usted también? En realidad podría estar realizando múltiples aplicaciones, especialmente si es verdaderamente entusiasta respecto a un cambio de trabajo, de carrera o si acaba de completar su educación o entrenamiento profesional. Incluso así, cada jefe desea sentir que ha sido elegido y especialmente seleccionado por usted. Saben que probablemente ande de compras, pero aún requiere de esos argumentos convincentes y de esa triunfadora adulación a la mano. Una cuidadosa planeación e investigación inteligente le prepararán para responder todas las preguntas similares sobre este tema.

### Recomendación efectiva

Cualquiera que sea el tipo de trabajo que está buscando, realice tanta investigación como pueda antes de acudir a la entrevista, de esa forma está bien preparado a fin de responder aquellas preguntas diseñadas para saber cuánto esfuerzo ha invertido antes de la entrevista. Lo que es más, tiene una idea mucho más clara de lo que todavía desea conocer durante ella. Esto es particularmente importante al enfrentarte con "¿Hay alguna pregunta que le gustaría hacernos?". Encuentra más al respecto en el capítulo 11.

Esta necesidad de investigación aplica, ya sea que se aproxime a una corporación global, a una pequeña compañía de TI, una escuela, un estudio de diseño, un periódico o la tienda de la esquina. Aunque, obviamente va a variar la cantidad de investigación que realmente pueda emprender.

 **Recomendación efectiva**

Acuérdese de todos los recursos que puede ocupar para encontrar más sobre los empleadores:

- Sitios web propios de la compañía o la organización.
- Otros sitios web, *blogs*, Twitter, Facebook, etc., que ofrecen información relevante (sea consciente de la diferencia entre información y opinión personal).
- Folletos de la compañía, información de productos, etcétera.
- Reportes anuales de la compañía.
- Prensa local, nacional, comercial o especializada.
- Librerías de referencia o especializadas.
- Centros de empleo de categoría.
- Agencias de reclutamiento, servicios profesionales y centros de empleo.
- Universidades y centros de instrucción universitaria.
- Recomendaciones de boca en boca.
- Su experiencia propia y directa de una organización como cliente, visitante o algún tipo de usuario.

Antes de considerar las siguientes preguntas y respuestas, tenga claro por qué las realiza el entrevistador. Quieren saber si ha invertido algún esfuerzo en encontrarlos, si ha considerado cuidadosamente el tipo de organización que representan –sus productos, estatus, imagen, etc. No están buscando evidencia de la cantidad de información que puede retener; unas cuantas opiniones inteligentes y los comentarios irán mucho más allá que ser capaces de expresar de memoria amplios capítulos en el reporte anual del año pasado.

 **Ejemplo efectivo**

Empiece considerando esta pregunta muestra y el modelo de respuesta. Ambas son seguidas por un breve análisis de lo que hace a esa respuesta ser un éxito.

 ¿Cuál considera que sea nuestro recurso más valioso?

**®** Estoy seguro de que su recurso más valioso es la gente que trabaja para usted. En mi experiencia, reclutar y retener buen personal afecta todo lo que hace. Es más sencillo conseguir un equipo nuevo o un paquete de programación, que remplazar a un miembro del equipo verdaderamente motivado y trabajando bien con todos los demás. Hoy que hablaba con la gente, realmente me impresionó el énfasis que ponen ustedes al entrenamiento y desarrollo del personal.

**Por qué funciona esta respuesta:**

Rara vez existe una respuesta "correcta" durante la entrevista, pero es ampliamente aceptado que los recursos humanos son la clave del éxito para casi cualquier tipo de empresa; por tanto, probablemente no haría bien sugiriendo que tener un lindo estacionamiento o incluso un buen sistema de contabilidad sea el camino hacia el éxito.

- Esta respuesta muestra que ha pensado seriamente acerca de lo que hace palpitar a una organización o que por lo menos ha leído el tipo correcto de reportes.
- Muestra que considera las habilidades de la gente como algo importante y representa una buena pauta de la posible forma para trabajar con colegas y valorar al buen personal.
- Se las arregla para ofrecer un cumplido a su posible jefe.

---

Procure analizar algunas de las respuestas en este capítulo para observar por qué funcionan. Puede aprovechar la misma técnica para elaborar sus propios modelos de respuesta.

**℗** ¿Qué opina de nuestra compañía/organización?

**®** Durante mucho tiempo he estado consciente de su existencia como un importante banco de compensación. En realidad, me gustó su reciente campaña publicitaria y siendo un entusiasta del internet, me impresionó que fueran de los primeros en establecer servicios en línea. Fue la principal razón por la que decidí cambiar de banco, porque he experimentado el otro lado de la moneda siendo uno de sus clientes.

**®** Ya había decidido que deseaba enseñar en una escuela al interior de la ciudad. Ayudó que con gusto me permitiera una visita informal antes de presentar mi aplicación y consideré que realmente había una atmósfera confortable en todos los salones que visité. Me entusiasma trabajar en una escuela que involucra a los padres de familia y a la comunidad local, y su reciente concierto para recaudar fondos lo demostró muy claramente. Además fue muy agradable, yo era parte de la audiencia y es grandioso ver que se le otorgue una alta prioridad a la música.

**R** A menudo me he detenido aquí por un café y un sándwich. El lugar siempre ha lucido resplandeciente de limpio y el personal parece amigable y eficiente. Me gusta la variedad de comida que ofrecen y el hecho de que parecen estar en muy buenos términos con muchos de sus clientes.

**R** Empecé a notar sus productos frecuentemente anunciados en *Software Today* y comencé a prestar atención y a tomar nota. El hecho de que parecen destinar bastante energía al diseño especializado de *software* para clientes individuales realmente me interesa. Me gusta la idea de aprovechar mis habilidades técnicas para trabajar cerca de los clientes.

**R** Su sitio web es en verdad informativo y me ha mostrado mucho sobre los productos y la propuesta de su futuro desarrollo. Estoy muy emocionado con la idea de trabajar para una compañía pequeña donde mis ideas puedan realmente contribuir.

## Recomendación efectiva

Observe cómo todas estas respuestas, aunque orientadas a diferentes empleadores para lograr la mejor impresión posible, tienen dos cosas en común. Primero, demuestran que los candidatos han pensado con quién aplicar en un mercado de trabajo particular, y segundo, cada candidato aprovechó la oportunidad para realizar un comentario positivo, resaltando su adaptabilidad o entusiasmo por la organización o la posición ofrecida. Pregúntese, ¿podría hacer esto en su próxima entrevista?

**P** ¿Somos su primera opción?

**R** Sí. Aunque me encuentro aplicando con otras firmas similares, realmente he esperado encontrar lugar con ustedes tras haber conocido a uno de sus gerentes durante un evento de reclutamiento. Parecen ofrecer a la gente mucha responsabilidad desde el principio y eso resulta atractivo.

## Pesadilla a evitar

"Leí sus últimos tres reportes anuales de principio a fin y me pregunto si les gustaría que expresara la rotación anual de esos tres años, tanto para su departamento de dispositivos como de trebejos, separadamente o tal vez como un dato agregado, o podría ser que...". Para entonces, los entrevistadores probablemente se encuentren adormilados y en general, no deberían aburrirse durante la conversación.

**P** Dígame qué sabe sobre esta organización.

**R** Realicé una colocación de tres semanas en el departamento de contabilidad, lo que me ofreció gran contacto con todos los departamentos internos y a estar verdaderamente informado sobre los proyectos que tienen en marcha. También significa que encontré bastante acerca de quiénes son sus clientes y, aunque mi auténtico interés está en mercadotecnia, resultó una experiencia muy valiosa.

**R** Cuando empecé a buscar trabajo con asociaciones habitacionales, arreglé visitas informales con aquellos que estaban dispuestos a permitirlo. Sus colegas fueron muy amables al programarme una, no sólo en las oficinas centrales, sino también en dos de sus proyectos, uno para personas de edad y otro para familias monoparentales. Los proyectos se veían funcionando bastante bien y el personal de sus oficinas resulta increíblemente comprometido con lo que está haciendo –lo encontré estimulante y muy inspirador–; es en gran medida el tipo de equipo con el que me gustaría trabajar.

**R** Leí su anuncio en el *Directorio Mundial Anual de Publicidad*, y noté que para una firma comparativamente pequeña, maneja una interesante gama de clientes. Visité su sitio web y descubrí más sobre algunas de sus campañas para pequeños eventos de caridad y grupos de presión. Si así lo desea, podría ser más específico respecto a lo que llamó mi atención acerca de dichas campañas.

(Todas éstas son respuestas muy diferentes, pero dejan claro al entrevistador que el candidato ha hecho una elección positiva de esta organización y realizado una apropiada investigación para respaldar su decisión.)

### Recomendación efectiva

Si encuentra que a veces, sin importar el tema, se dirige hacia una respuesta potencialmente larga o compleja, es buena idea recobrar el aliento y verificar con el entrevistador si desea que continúe. Si declina la oferta, no se sienta cabizbajo y tonto; tal vez ya dijo lo suficiente para convencerlos o podrían tener preguntas específicas para realizarle después, más que explorar el tema que ha estado cubriendo. Preguntar por lo que prefiera el entrevistador también muestra que se siente seguro y bajo control.

**P** ¿Está familiarizado con alguno de nuestros proyectos de productos/servicios?

**R** Sí, con varios, pero particularmente los de comida para microondas y su variedad de bebidas suaves, soy un verdadero fanático de algunas de sus aguas minerales saborizadas. Desde que empecé a interesarme en su compañía, he tomado nota de los anaqueles donde colocan sus productos en los supermercados y he observado a los grupos de consumidores que parecen atraídos por ellos. Si desea, podría comentar más al respecto.

**R** Escuché por primera vez acerca de sus proyectos teatrales para la juventud local durante nuestra semana de arte el verano pasado, cuando vi su producción de *Bodas de sangre*. Entonces yo estaba interesado en las artes y en la administración de teatros, por lo que aproveché la oportunidad para platicar con parte del elenco y personal en bastidores. A partir de ahí he dado seguimiento a varios de sus proyectos comunitarios.

**R** Actualmente no estoy tan familiarizado, como me gustaría, con su gama de productos, pero soy rápido asimilando conocimientos e información y ciertamente me encantaría saber más sobre todos los productos que proporcionan.

(Esta última no es una respuesta ideal, pero es mejor que inventar cualquier cosa, porque si se le ocurre decir algo blando como "Sí, creo que todos sus productos son excelentes", entonces es probable que te pregunten algo como "¿Qué le parece tan bueno de ellos?" o "¿Entonces cuál le gusta más?". Y se va a sentir increíblemente ridículo de tener que admitir no saberlo.)

**P** **¿Cómo nos sitúa frente a nuestros competidores?**

**R** Ciertamente creo que son el mejor de los tres periódicos independientes que se reparten por aquí. Todos necesitan el dinero de los espacios publicitarios y, sin embargo, se las arreglan para incluir editoriales bastante más interesantes y muchas otras historias que en realidad se refieren a asuntos locales; considero que eso representa una verdadera diferencia.

**R** Bueno, una vez decidido que deseaba incorporarme administrativamente a la industria de comida rápida, observé a varios de los grandes jugadores y consideré sus productos, sus permisos, sus grupos de clientes y su desempeño comercial. Comparado con las otras cadenas de pizzas, creo que sus puntos de venta en realidad resplandecen de limpios, el servicio es amistoso y ustedes parecen esforzarse por preservar un sentir italiano ligeramente más auténtico y eso verdaderamente me atrae.

**P** **Si tuviera carta blanca, ¿cómo le gustaría ver nuestro desarrollo durante los próximos tres años?**

**R** Sé que están invirtiendo mucho en investigación y desarrollo y ciertamente continuaría desarrollando dicho énfasis. Me encantaría verlos desarrollándose vigorosamente en algún mercado europeo, donde Italia y Alemania parecen estar muy firmes por el momento; tal vez deberían tener más oficinas satelitales en Europa.

**R** Pienso que el creciente mercado de productos orgánicos y ambientalmente amistosos es muy significativo y no es un área en la que su compañía se haya enfocado demasiado. Me gustaría investigar los costos de producción y la factibilidad de desarrollar algunos de éstos; estoy seguro de que el mercado aumentará representativamente durante los siguientes años.

**(P)** ¿Cuál considera que es el aspecto más emocionante de nuestro trabajo?

**(R)** Me interesa mucho su desarrollo africano. Mi padre trabajó en África durante la época que apenas comenzaba mi adolescencia, tengo un verdadero aprecio por el lugar y, por supuesto, también es un mercado nuevo verdaderamente interesante.

**(R)** He leído diversos artículos en la prensa sobre sus proyectos recientes al interior de ciudades para trabajar con familias sin domicilio fijo. Los proyectos se veían realmente innovadores y éste fue un tema sobre el que investigué y escribí para mi disertación del último año en la universidad. Realmente había estado interesado en observar cómo funcionaron dichos proyectos en el largo plazo y me encantaría estar involucrado con esa clase de trabajo.

**(R)** Bastantes firmas legales en la ciudad parecen sólo concentrarse en clientes comerciales, pero tienen departamentos lidiando con toda una variedad de aspectos diferentes de la ley. Mi particular interés en la legislación ambiental los convierte en una elección evidente, además de que han estado implicados en algunos casos de alto perfil con dicha área.

### Pesadilla a evitar

No haga suposiciones acerca del tipo de organización para el que está aplicando. Un candidato equivocadamente anunció al panel entrevistador que había aplicado al empleo porque estaba cansado y pensó que las cosas serían más sencillas, para tener un poco de descanso. De hecho, se trataba de un ocupado departamento educativo que venía de atravesar recortes de personal y cuya carga de trabajo había aumentado significativamente.

**(P)** ¿Qué opina de nuestro sitio web?

**R** Considero que es excelente; la información que se busca es fácil de localizar y muy completa. Si dependiera de mí, podría inclinarme por incluir unas cuantas fotografías más.

**P** **¿Cómo lo modificaría?**

**R** Me gustaría ver que la sección donde los clientes pagan fuera más segura; tuve una mala experiencia con un sistema similar. Me agrada la manera en que están listados y desplegados sus productos y es muy fácil de navegar.

**P** **¿Qué piensa de nuestra información para el reclutamiento de titulados y el procedimiento de aplicación?**

**R** Me agrada la forma como incluyeron las series de perfiles de recién titulados en su sitio web, señalando sus antecedentes y desarrollo profesional en la compañía. Me hubiera gustado ver uno o dos perfiles más del lado técnico que habrían sido bastante útiles para mí, ya que estoy aplicando para Investigación y Desarrollo. Por supuesto que la aplicación en línea fue difícil, pero sentí que la serie de preguntas realmente me dio la oportunidad de resaltar mi experiencia.

**P** **¿Qué ventajas considera que tengamos en el mercado?**

**R** Tienen una variedad más pequeña de productos que algunos de sus competidores, sin embargo, tienen una merecida reputación por ser de alta calidad y sus campañas de publicidad y promoción significan que la gente está consciente de dichos productos. Estoy seguro de que para ustedes ha sido rentable engranar su producción en esta dirección y los números del año pasado ciertamente lo corroboran, especialmente dados los problemas actuales en el mercado.

**R** Al vivir en la ciudad, conozco exactamente qué otros restaurantes cercanos representan su principal competencia y debo confesar haber comido en todos ellos en alguna u otra ocasión. Habla bastante el hecho de siempre tener que reservar aquí por lo menos con dos semanas de anticipación para las noches de viernes o sábado, sin mencionar que considero la comida maravillosa, muy interesante y con un amplio uso de productos locales frescos. Ésa es una de las muchas razones por las que he aplicado para ser su chef asistente.

**P** **¿Cómo cree que podamos mantenernos exitosos?**

**R** Tienen una fuerte cartera de clientes y es importante mantenerla muy contenta, para que regresen con motivo de sus negocios. Aquí un servicio con buen seguimiento es la clave. Desde luego que también querrán aumentar la cartera de clientes y una mercadotecnia efectiva resulta importante, pero entonces necesitan continuar asegurando que cada aspecto del negocio respalde esas promesas de venta y mercadotecnia. Supongo que cada empleado tiene su papel a jugar en esto.

**P** **¿Hay algo que considere que hacemos mal?**

**R** Me gustaría invertir eso y observar cualquier cosa que pudiera hacerse mejor, ya que estoy seguro de que no disfrutarían de su actual éxito si en realidad estuvieran haciendo algo mal. Estoy sorprendido de no ver sus productos mencionados con mayor frecuencia en la prensa comercial. Sé que tienen una fuerte clientela, pero extenderla nunca podría ser algo negativo.

**R** Ciertamente no diría "mal", no estaría aplicando para unirme con ustedes si tuviera demasiadas preocupaciones al respecto. He sido uno de sus clientes en el pasado y en ocasiones he encontrado al personal encargado de las llamadas telefónicas incapaz de ayudarme o dudando con quién comunicarme, lo que me da curiosidad por conocer algunos de sus procedimientos de capacitación. Proporcionan un buen servicio y es importante ofrecer a sus clientes potenciales la información que necesitan sin mayor dificultad.

**P** **¿Cómo cree que podríamos ahorrar dinero?**

**R** Sé que actualmente todo el mundo lo tiene en mente. Me pregunto cuánto gastaron en consultores externos de relaciones públicas y si podríamos llevarlo a cabo internamente con el departamento de mercadotecnia. Tal vez podrían intentar anunciarse en menos revistas, necesitaría conocer más detalles, pero pienso que aquí podrían lograr algún ahorro. Por lo que sé, ya han ajustado la parte administrativa, lo que implica explorar otras áreas.

**P** ¿Cuál cree que sea la razón por la que algunas compañías fracasan?

**R** Estoy seguro de que se debe a muchas razones, pero probablemente una de ellas sea la pobre comunicación entre la gente que diseña los productos o desarrolla las ideas y los clientes de la organización. Esto verdaderamente implica asegurar una excelente comunicación interna, estoy seguro que es la clave para resolver muchos de los problemas.

La crítica genuina y reflexionada es aceptable, después de todo, sus ideas y aportaciones podrían estar a punto de contribuir al éxito de la compañía. Sin embargo, decir que todo lo que hacen y han hecho es maravilloso no muestra ninguna iniciativa, imaginación ni confianza; no muestra que en realidad haya pensado en su negocio, sus clientes o el mercado. Por otro lado, ningún entrevistador quiere escuchar que la organización para la que trabaja es obsoleta, desorganizada, con pobres relaciones industriales y en general sin esperanza. Sus respuestas necesitan demostrar que ha pensado cuidadosamente en la organización para la que está aplicando y ha emprendido la concentración de tanta información como razonablemente es posible, aplicándolo para obtener algunas respuestas congruentes. Recuerde que usted de verdad quiere que piensen que su cerebro sería un activo para ellos.

Cuánta investigación se puede esperar que realice antes de una entrevista, depende de la clase de organización a la que esté buscando adherirse. Un gran negocio es probable que tenga un extenso sitio web y la producción de reportes, folletos y paquetes de información. Una muy pequeña empresa puede no ofrecer gran cosa de manera tangible, aunque la mayoría tiene sitios web. Frecuentemente los candidatos para una entrevista resultan renuentes a acercarse con las compañías y conocer la información que se encuentra disponible. Suponen que el no haber sido capaz de obtener tal información de alguna otra misteriosa fuente demuestra algún tipo de debilidad. El caso es opuesto: nadie perderá puntos tomando la iniciativa y antes de presentarse a la entrevista formal, las compañías con frecuencia envían gustosas la información que poseen o en ciertas ocasiones le permiten sostener alguna plática informal con alguien al teléfono o mediante una visita. No hay daño alguno en preguntar, lo peor que podría suceder es que le digan "no".

A como dé lugar agregue sus propias preguntas, ya que algunas de las anteriores no serán apropiadas si está aplicando para algunos tipos de organización. Por ejemplo, mientras es fácil encontrar grandes cantidades de información sobre el servicio civil o una compañía multinacional, la información podría ser mucho más limitada en el caso de un pequeño negocio local o de un proyecto fundado por alguna sociedad caritativa. De cualquier forma, resulta una disciplina útil saber cuánto conoce de su patrón prospectado.

 **Recomendación efectiva**

Revise la lista de posibles fuentes de información al principio de este capítulo, para ver qué puede resultar de utilidad conforme se prepara para cada entrevista de trabajo.

## ¿PODRÍA SER EL LUGAR CORRECTO PARA USTED, PERO ES LA PERSONA IDEAL PARA TRABAJAR AHÍ?

Muchas de las preguntas durante la primera mitad de este capítulo se enfocan en lo que sabe sobre la organización en la que espera incorporarse. Si está en el juego, conforme su técnica de entrevista se vuelva cada vez mejor, será capaz de entrelazar algunos puntos de venta en las respuestas que ofrezca a dichas preguntas, exactamente de la forma en que lo mostraron los modelos de respuesta. Se encontrará también siendo cuestionado con preguntas que suenan muy similares, pero mucho más enfocadas a usted y al porqué piensa que ese jefe es apropiado para usted.

**P** ¿Por qué quiere trabajar con nosotros?

**R** Tenía la mente abierta al inicio de mi último año en la universidad y además de saber que quería unirme a una compañía grande con buena reputación, simplemente estaba buscando una gama informativa de reclutamiento y sitios web. Uno de los aspectos que sobresalió con ustedes fue la flexibilidad que tienen al ofrecer capacitación en diversas áreas para el personal nuevo, antes de verse definitivamente asignado en alguna de ellas.

**Ⓟ** ¿Qué hay sobre esta compañía/organización que le hace pensar que continuará interesado y entusiasta durante un largo plazo?

**Ⓡ** La tecnología en las comunicaciones está cambiando muy rápido y al tratarse de una compañía pequeña que trabaja en un área altamente especializada del mercado, puedo visualizar que los nuevos desarrollos aquí van a suceder con frecuencia durante algún tiempo. Realmente estoy comprometido con la idea de trabajar en investigación y desarrollo para una compañía pequeña; estoy seguro de que proporciona una muy buena oportunidad para laborar de cerca con otros departamentos, y obtener una más rápida retroalimentación del cliente. También me gusta la atmósfera del lugar; todos se ven entusiastas, ocupados y, además de que han sido muy amables, hay un verdadero sentimiento de que la gente está a gusto.

**Ⓟ** Aquí tenemos varios clubes y muchas actividades sociales para el personal. ¿Cómo se siente socializando con colegas?

**Ⓡ** Creo que eso siempre dice algo bueno acerca de una compañía: la gente hará esto sólo si lo desea. Aún conservo la amistad con algunos de mis colegas en puestos anteriores y pienso que es grandioso convivir con la gente fuera de la oficina, conocer otras de sus facetas. De cualquier forma, me describiría como una persona sociable y siempre me agrada participar en cualquier cosa como noches de concursos, comidas externas o lo que sea. ¿Cuáles clubes sociales tienen por el momento?

**Ⓟ** ¿Con quién más está aplicando?

**Ⓡ** Con todas las demás compañías líderes en contabilidad pero, de tener la alternativa, por mucho preferiría trabajar con ustedes. Atendí uno de sus eventos de reclutamiento y tuve la oportunidad de platicar con el personal que recientemente han contratado y realmente estoy impresionado con el apoyo que ofrecen para las cualidades y formación profesional. No obstante, saber que tienen un departamento tan grande y exitoso para la auditoría de computadoras es más importante para mí. Es algo que verdaderamente me interesa, pues reúne mis habilidades en TI y mi interés en contabilidad.

**R** En realidad he aplicado para todo lo que me pueda ayudar a colocar un pie en la puerta, porque cualquier cosa relacionada con las artes y el teatro es tan competitiva que no creo que deba ser muy quisquilloso; acepto que deberé trabajar para ascender. Eso no significa que no sea un candidato muy fuerte: he ayudado voluntariamente con nuestras dos últimas semanas de arte local y desde luego está la labor en taquilla que tuve el verano pasado en el Teatro Wild Side. En realidad me interesa este puesto administrativo que están ofreciendo, porque mi actual experiencia se adapta muy bien a él.

**R** No, he elaborado una lista con otras compañías que me interesarían y tengo listo mi CV, pero tras haber tenido un empleo de medio tiempo con ustedes durante algún tiempo el año pasado, decidí que realmente me gustaría trabajar aquí. Aunque toma un cierto riesgo, preferiría ver cómo resultaron las cosas respecto a mi aplicación con ustedes, antes de volver a enviar mi CV.

## Recomendación efectiva

El líder de reclutamiento para una gran cadena de ventas al por menor recientemente comentó que muchos graduados parecen haber aplicado para cualquier cosa y para todo, por lo que resulta complicado de descifrar la manera en que realmente se sentían acerca de su compañía. Si debe aplicar muy ampliamente, encuentre una manera de describir su estrategia para que se muestre enfocada.

**P** ¿Ha recibido ofertas de trabajo con alguien más?

**R** No, no hasta el momento, aunque tengo otra entrevista que atender el viernes.

**R** Sí, acabo de recibir una oferta de Alimentos Primaverales Frescos para incorporarme a su división de desarrollo de productos, pero estoy más interesado en su gama de productos y también impresionado con su récord en los temas ambientales.

**P** Si alguno de nuestros competidores le ofreciera un empleo ahora, ¿lo aceptaría?

**R** Tendría que analizar con mucho cuidado lo que estuvieran ofreciendo exactamente, no sólo en términos de remuneración, sino lo relevante que resultara para mi experiencia y la manera en que podría desarrollar mi carrera, pero en realidad preferiría mucho más trabajar aquí, si se me diera la oportunidad.

Un entrevistador no va a basar su decisión respecto a ofrecerle un empleo con base en otras aplicaciones que tenga en el tintero, pero examinar su estrategia para buscar trabajo es otra manera de evaluar algo de su planeación, toma de decisiones y habilidades analíticas. Si resultan impresionados con usted en una entrevista, será de su propio interés que otras personas estuvieran realizándole ofertas, pudiendo entonces perderle. No tome ningún riesgo imprudente con esta idea, como diciendo que ha tenido otras ofertas cuando no es así: si se encuentra compitiendo con otro candidato (y esto ocurre, especialmente donde están contratando mucho personal al mismo tiempo), podrían decidir que es una causa perdida.

## SUMARIO Y RECORDATORIOS

Procure averiguar tanto como pueda sobre su empleador prospecto: después de todo, él querrá saber bastante sobre usted.

1. Siempre que sea posible, haga su investigación de manera anticipada.
2. Si en realidad no lo puede hacer, aproveche el tiempo antes de su entrevista, ya sea hablando con el personal o tomando nota de cualquier señal que pudiera encontrar sobre la organización y sus clientes.
3. Recuerde que todo este duro trabajo previo a la entrevista también le beneficia; le ayuda a determinar si son los empleadores correctos para usted y no sólo el que consideren si usted es adecuado para ellos.

# Capítulo 5

## El toque personal

Todo sobre lo que le hace vibrar
y por qué resulta importante

En el capítulo 1, sobre estar minuciosamente preparado para las entrevistas, se desarrolló el punto respecto a cómo los empleadores en realidad quieren saber sobre usted cada uno de sus aspectos, pero principalmente el tipo de persona que es y si encajará en el empleo para el que está aplicando. ¿Se entenderá con el resto del personal o se molesta cuando alguien le solicita hacer algo que preferiría no hacer? ¿Lo consideran colegas y clientes como primer candidato para un curso de control de ira? Por supuesto que sólo los candidatos menos inteligentes admitirían cualquiera de estas fallas durante una entrevista, incluso cuando los lapsos desfavorables se hayan deslizado hacia su vida laboral. Los entrevistadores a menudo enfocan sus preguntas tratando de descubrir lo que exactamente le hace vibrar y la posibilidad de que sus rasgos combinarán efectiva y eficientemente con el trabajo, el carácter distintivo, la dirección y el estilo general de quien sería su jefe.

Desde luego, ellos obtendrán mucha de esta información de las preguntas que conteste acerca de su empleo actual y de los anteriores, su educación y las razones detrás de sus decisiones y progresos profesionales, pero también podrían ocupar algunas preguntas bastante directas para saber más de usted.

**Ejemplo efectivo**

Póngase en marcha considerando esta pregunta muestra y el modelo de respuesta. Ambas son seguidas por un breve análisis de lo que hace a esa respuesta ser un éxito.

**P** Describa alguna contribución que haya hecho para alguna organización fuera del trabajo y explique cómo ésta ha beneficiado a la organización.

**R** Soy parte del comité de un grupo local que escribe, produce y distribuye un boletín de noticias comunitario. Tengo la responsabilidad especial de generar publicidad porque el boletín es distribuido sin costo a 500 hogares locales. Cuando me integré al grupo, verdaderamente batallábamos para generar ingresos. Esto ocurría en parte debido a que los cargos por anunciarse eran bastante bajos. Mientras que tampoco podemos cobrar mucho, consideré que podíamos aumentar sustancialmente nuestras tarifas, y aún conservar a todos nuestros anunciantes y posiblemente conseguir algunos más. Algunos miembros estaban preocupados de que alienáramos a la gente, pero estaba seguro de que nuestras tarifas eran tan bajas, que probablemente encontraríamos muy sencillo llevar a cabo el aumento. Me tomé el tiempo de visitar a varios pequeños negocios locales y nuestra renta por publicidad se ha duplicado durante los últimos 18 meses. Estoy muy satisfecho; tener una buena fuente de información local es muy valioso.

**Por qué funciona esta respuesta:**

- Es interesante y probablemente captará la atención del entrevistador.
- Dice algo sobre su dinamismo: hace las cosas.
- Menciona que es un solucionador de problemas.
- Comenta que se incorpora a las iniciativas locales, así que con suerte también será positivo para los asuntos laborales.
- Sugiere que se compromete con las cosas y que estas actividades externas tampoco se van a entrometer en su vida laboral.
- Culmina en una nota ascendente con una historia de éxito.

Procure analizar algunas de las siguientes respuestas en este capítulo para observar por qué funcionan. Puede aprovechar la misma técnica cuando esté elaborando su propio modelo de respuestas.

Estas respuestas sugeridas únicamente son aperturas de lo que
formará parte de respuestas más amplias que reflejen su situación.
Lo que incluyen, y debería procurar, es un claro punto de partida para
que el entrevistador esté consciente de qué esperar y tenga la alternativa de estar de acuerdo con ello. También, si así lo desea, le ofrece
la oportunidad de ir a otros aspectos de su vida y su personalidad. Es
perfectamente aceptable ofrecer alguna información para luego preguntar: "¿Le gustaría que comentara un poco más sobre eso?" o "Podría platicarle un poco más sobre mis aspiraciones profesionales" o
"podría comentarle acerca de lo que me proporciona satisfacción en
cualquier empleo que esté desempeñando". En otras palabras, si hay
mucho sobre lo que pudiera hablar, no se enganche en un monólogo
de 15 minutos, con sólo pausas para cerciorarse de que el entrevistador no se ha volteado por café. Ofrezca sus respuestas en bloques
discretos, verificando en cada etapa si desean más.

Podría ser útil, como parte de su preparación para la junta, preguntar a sus amigos o colegas cómo lo describirían; a veces se fa-
miliariza tanto consigo, sobre todo cuando no se le han hecho este
tipo de preguntas después de varios años, que realmente encuentra
extraño que le soliciten describirse de esta manera, sin embargo, las
opiniones de los demás pueden ser buenos recordatorios y, también
con suerte, detonadores de confianza.

**P** Coménteme algo sobre usted.

**R** Tal vez debería empezar comentándole por qué en esta etapa
de mi carrera he decidido aplicar para el trabajo con ustedes, subrayando cómo la experiencia de mi actual y anterior empleo se relacionan con este puesto.

Ⓡ Comenzaré platicándole un poco sobre el curso que acabo de terminar, lo que obtuve de él y cómo se relaciona con mis planes a futuro.

Ⓡ Tal vez debería empezar por comentarle una o dos de las cosas más insólitas que he hecho, lo que considero haber aprendido de ellas y lo útiles que le resultarían si aquí se me ofreciera un puesto.

(Estas cosas "insólitas" podrían ser proyectos de trabajo en particular, experiencias de actividades voluntarias o incluso intereses para el tiempo libre, siempre y cuando ofrezca una respuesta relevante e interesante.)

Ⓡ Bueno, podría comenzar describiendo el tipo de persona que considero ser o al menos la manera en que amigos y colegas me describirían, para luego, y de encontrarlo útil, ofrecerle un poco más de mis antecedentes.

Esta solicitud de comentar al entrevistador algo acerca de usted, es una de las más perdonadas a los candidatos y que haría bien en anticipar. La razón de que sea tan complicada es porque sencillamente no está seguro por dónde comenzar, qué y cuánto incluir, y hasta dónde llegar. Puede asumir razonablemente que su entrevistador no está esperando una versión depurada de su biografía, empezando por el primer recuerdo de cuando dejó su osito de peluche en el parque y terminando con la cena-baile que ofreció el sábado, pero eso aún no responde la capciosa pregunta de exactamente qué alternativa de golosina elegir para despertar su apetito.

Ⓟ **¿Cuál diría que, hasta la fecha, es su logro más grande?**

Ⓡ El haber sido solicitado para administrar el departamento del que actualmente me encargo ha sido extremadamente significativo para mí. He estado trabajando ahí únicamente por dos años, asumiendo que alguien con más experiencia que yo sería asignado. He trabajado duro y puesto mucha energía para desarrollar y expandir nuestra cartera de clientes, pero no había anticipado que llegara una recompensa tan rápido. El verdadero triunfo para mí es habérmelas arreglado para lograr esto evitando el resentimiento del personal que pudo suponer haber sido solicitado para el puesto.

®  Debo decir que ha sido obtener mi licencia de piloto. Sé que no es exactamente una habilidad de todos los días para esta oficina, pero era una ambición que sostuve por años; me costó mucho dinero, pero fue muy emocionante cuando empecé a volar en solitario y fui capaz de invitar amigos.

®  Obtener un grado universitario a los 37 años de edad, mientras sacaba adelante a una familia de tres y mantenía un empleo de medio tiempo para ayudarme a pagar las cuentas. Académicamente no he sido tan exitoso en la escuela, sin embargo, encontré que me desempeñaba muy bien en mi curso. Los resultados lo muestran y hace valer la pena todo el duro trabajo y abre significativamente mis opciones profesionales.

®  Para ser honesto, dejar de fumar. Nunca pensé poder lograrlo y había tenido decenas de intentos que terminaban en fracaso. No sólo es el hecho de que ya no fumo, he ganado bastante agudeza personal y actualmente lidio de manera mucho más efectiva con situaciones potencialmente estresantes en el trabajo. Me siento más animado, mentalmente más alerta y mucho más tranquilo que nunca. ¡Incluso lo logré antes de que la prohibición de fumar en lugares públicos entrara en vigor!

## Recomendación efectiva

Amplíe su red, piense de manera profunda sobre lo que genuinamente le ha otorgado un verdadero sentido de logro, y procure no utilizar ejemplos que siempre estén relacionados con situaciones laborales.

Muchos formatos para aplicación de empleo y aplicaciones en línea también preguntan por logros, así que, considerando los suyos, vale la pena actualizarse.

Sea realmente consciente de sus logros. Varios candidatos temen las preguntas acerca de los logros. Dé la mejor impresión posible listándolos ahora. Incluso podría valer la pena platicarlos con un colega o amigo, esto a veces ayuda poniendo en marcha las ideas.

| Cuándo/dónde | Logro | Significado personal |
|---|---|---|
| En el trabajo. | | |
| En la escuela. | | |
| En la universidad. | | |
| A través del deporte. | | |
| A través del arte, la música o el drama. | | |
| A través del trabajo voluntario. | | |
| A través de otras actividades de tiempo libre. | | |
| A través del trabajo comunitario o la política. | | |
| A través de la familia, amigos u otros eventos sociales. | | |
| Cualquier otra área de desarrollo personal. | | |

### ⬤ Recomendación efectiva

Asegúrese de considerar todos los aspectos de su experiencia cuando liste sus cualidades personales: es muy fácil ignorar algunas de sus propias experiencias porque está muy familiarizado con ellas.

**P** ¿Qué es lo más interesante que jamás ha hecho?

**R** Los seis meses que estuve viajando y sobre todo el tiempo que pasé en la India, fueron una experiencia completamente nueva y diferente que me causó una profunda impresión. Además del aprendizaje de una cultura diferente y la contemplación de diversos paisajes, en lo personal maduré para ser más observador y bastante más ingenioso.

**P** ¿Cuáles son sus tres principales fortalezas?

**R** Lidiar con gente, mantener la calma cuando se irritan las personas a mi alrededor y encontrar soluciones imaginativas para los problemas; se me ha ocurrido tener incluido el aprovechar nuestro espacio de oficina más eficientemente, considero tener algún instinto para el diseño. También desarrollé cursos de motivación para personal subalterno porque estábamos sufriendo de una rotación particularmente alta.

**P** ¿Qué diría alguno de sus amigos si le solicitamos que nos describa su carácter?

**R** Pienso que dirían que es fácil relacionarse y llevarse conmigo. Dirían que tengo un buen sentido del humor y que en general soy optimista. Creo que también comentarían que soy bueno durante una crisis, a menudo soy la persona que telefonean o llaman cuando alguien tiene un problema.

**P** ¿Qué cree que podría decir alguno de sus amigos si le solicitamos que elija una de sus debilidades?

**R** Supongo que podrían comentar que a veces puedo ser algo impulsivo: me emocionan las ideas nuevas y en ocasiones también me frustran cuando no tengo la oportunidad de desarrollarlas. El lado positivo de esto es que tengo buenas ideas y varias de ellas realmente funcionan.

(De aplicarse a usted, aquí ofrezca un ejemplo.)

**P** ¿Cuál diría que es su falla más significativa?

**R** Involucrarme con el trabajo de otras personas. Debido a que tengo una considerable experiencia, con frecuencia se acercan los colegas para pedirme un consejo y con gusto lo ofrezco, pero he tenido que aprender que se trata de su responsabilidad y realmente he corregido este tema, no debo tratar de adoptarla. Supongo que radica entre querer ser amable y querer que las cosas se hagan bien.

**P** ¿Cómo enfrenta una decepción?

**R** Desde luego que no me gusta, pero he aprendido a tomarla con filosofía. Estaba realmente decepcionado cuando no pude ingresar en la universidad que representaba mi primera elección, y sin embargo acabé divirtiéndome y desempeñándome bien. Hay una gran diferencia entre las decepciones que escapan de su control y aquéllas donde puede aprender algo, tratando de mejorar su circunstancia. Con el fin de poder evitarla, mi decepción universitaria pronto me llevó a empezar a aplicar en las compañías que me interesaban.

**P** Comenta tener "personalidad para la gente". ¿Qué entiende por esto?

(Han percibido que se apoya en un cliché, ahora es el momento de reivindicarse.)

**R** Quiero decir que me gusta estar en un ambiente con mucha oportunidad de platicar las ideas a los demás y probarlas con ellos. En mi actual empleo hay otras cinco personas en mi equipo y todos estamos motivados: el presente proyecto ha sido realmente exitoso.

**P** ¿Puede decir "no"?

**R** Si considero que me han solicitado llevar a cabo algo que en verdad va más allá de mis responsabilidades o remisión, o que podría realizar pero no en el periodo de tiempo esperado, entonces diré "no". Es mejor que acordar hacer algo para después encontrar que no puedes entregar, que debes ocupar tiempo renegociando y atrasándote con otros trabajos. La gente que ha trabajado conmigo en el pasado reconoce que sólo digo "no" cuando verdaderamente tengo una buena razón, y no con el fin de evitar el trabajo ni ser descortés. Sin embargo, siempre estoy abierto para discutir algo y tratando de ayudar para encontrar alguna solución ante las situaciones.

### Recomendación efectiva

No se desconecte con esta pregunta. Le ofrece una oportunidad dorada para resaltar sus habilidades asertivas. Imagine que el entrevistador se pregunta si es dogmático, inútil o perezoso, o si se pone de tapete y puede ser presionado por cualquiera. A menudo surge la pregunta cuando se cuestionan sobre el tiempo de administración, asertividad o comunicación en general. Lo que necesita comentar a los entrevistadores es que puede ser firme y decir "no", cuando resulta importante y razonable hacerlo.

## SUENA MUY INTERESANTE

Los candidatos a un empleo frecuentemente preguntan por qué deben invertir tiempo describiendo las actividades de su tiempo libre, pasatiempos e intereses, en sus formatos de aplicación, CV y durante las entrevistas. También se preocupan constantemente por no tener ningún interés deportivo o extravagante (creyendo ser aquellos que los patrones más probablemente aprueben). Como muchos otros, éste uno de esos temas en las entrevistas que le dejan pensando hasta dónde han podido llegar los candidatos rivales para ilusionar e impresionar.

También es cierto que la cantidad de atención prestada durante una entrevista a sus actividades en el tiempo libre, dependerá de la etapa que haya alcanzado en su carrera. Si tiene una larga historia laboral de la cual hablar, los intereses podrían tomar el asiento trasero. Si es un desertor escolar, podría conformar una parte muy importante de la entrevista.

 **Recomendación efectiva**

Si su pasatiempo favorito es la danza Morris o jugar con su iPhone, probablemente sea mejor no revelarlo. Algunos intereses resulta mejor tratarlos como asunto privado. (Una disculpa a todos los bailarines de Morris.)

Existen diversas razones por las que los entrevistadores quieren saber acerca de sus intereses. Si hay algo que verdaderamente disfrute hacer y es un apasionado, pueden observar su personalidad más entusiasta y relajada, descubriendo cómo es realmente cuando se emociona con algo. Su esperanza es que ese entusiasmo contagioso sea una característica que se acompaña en el trabajo. También estarán intentando encontrar algo respecto a sus habilidades para administrar el tiempo: ¿es capaz de encajar en cualquier otra cosa diferente al trabajo, estudio y familia? Podría tener intereses que han desarrollado habilidades sumamente benéficas para su circunstancia laboral. Si ha estado involucrado en deportes u otras actividades en grupo, ésta será una manera en la que ha desarrollado conciencia de la forma en que funcionan los grupos de gente. Si está comprometido con el desempeño de las artes, es probable que sea confiable en una situación pública. Hay algunos empleos donde resulta esencial tener la confianza para tomar riesgos calculados y si sus intereses reflejan un gusto por la aventura, esto representará un bono (suponiendo que una semana después de haberse incorporado a la compañía, no se rompa alguna pierna en su camino a convertirse en campeón internacional de *snowboarding*).

Sin embargo, más allá de todas estas razones, lo que elijamos hacer durante nuestro tiempo libre puede reflejar bastante acerca del tipo de persona que somos, sea extrovertido, sociable, persistente, solitario, creativo, enérgico, cuidadoso, atrevido, etc. No utilice argot ni términos específicos de su interés que los demás no puedan comprender.

**P** ¿Es fácil llevarse con usted?

(No es probable que alguien responda "no".)

**R** En verdad disfruto trabajar con otras personas y no me veo cayendo en confrontaciones. Si creo que un problema se está gestando, suelo comentarlo amablemente desde un principio. Por ejemplo, haciendo una broma al respecto, me las arreglé para que llegara a trabajar a tiempo un colega que siempre llegaba tarde. Yo no era el gerente y por lo tanto no podía aprovechar el rango, pero mi método funcionó.

## Recomendación efectiva

"Muéstralo, no lo digas" es lo que se le solicita a los actores. En el contexto de una entrevista, procure siempre ofrecer un ejemplo para respaldar lo que acabe de decir.

**P** Ha comentado sobre su actual y anterior empleo, y lo que obtuvo de su educación, pero no ha dicho mucho sobre sus intereses. ¿Qué hace en su tiempo libre?

**R** Ciertamente diría que soy una persona muy sociable; disfruto de la compañía y me gusta entretenerme o relajarme con amigos. Supongo que más que una arrebatadora pasión, tengo una muy amplia gama de intereses y me gustan varios tipos diferentes de música; toco un poco la guitarra, aunque nada excepcional. Disfruto de leer, sobre todo la ficción moderna, y me intereso en los asuntos de actualidad, especialmente aquellos que afectan mi propia comunidad local, por ejemplo, los planes para clausurar nuestra piscina.

**P** Afirma leer mucha ficción, así como no ficción. ¿Cuál es la última obra no ficticia que ha leído y la recomendaría o no a los demás?

🅡 *Mala ciencia,* de Ben Goldacre. En realidad me interesa la ciencia y me ha llevado a reflexionar de manera más crítica y a ser más escéptico sobre los artículos que leo en internet. También fue muy entretenido. Ciertamente lo recomendaría, incluso si no le interesa tanto la ciencia, creo que podría despertar el interés y la conciencia.

### 🌟 Recomendación efectiva

No se vea tentado a mentir sólo porque los intereses parecen ser un tema "ligero". Su entrevistador en realidad puede ser un ávido lector, participante de juegos virtuales, aficionado a la ópera o entusiasta del golf, así que no fanfarronee.

🅟 Veo que juega en el equipo local de futbol. ¿Qué clase de jugador es usted?

(Probablemente estén más interesados en sus habilidades de equipo que en el hecho de que sea un gran anotador.)

🅡 Generalmente juego por lo menos una vez a la semana y supongo que soy uno de los mejores. Soy el capitán del equipo cuando el capitán oficial no está y me gusta motivar a los jugadores jóvenes.

🅟 Veo que está interesado en el teatro *amateur.* ¿Cree que esto le servirá en el trabajo?

🅡 Bueno, ciertamente me ha ofrecido bastante confianza personal. Solía preocuparme al hablar en público, mientras que ahora en realidad lo disfruto. Por ejemplo, al llevar a cabo presentaciones con grupos pequeños, encuentro que soy muy bueno para captar la atención del auditorio y escasamente he aprendido a utilizar apoyos visuales, en lugar de apoyarme en ellos.

🅟 Veo que es el presidente de su grupo local de inquilinos. ¿Qué tanto trabajo implica eso?

🅡 Además de las juntas mensuales que presido, participamos en reuniones con el consejo local y otros grupos de comunidades para trabajar en mejorar la calidad de vida en el estado: menos basura, mejor alumbrado público, más actividades para la gente joven, etc. En un principio estaba renuente a tomar la presidencia, pero es un papel con el que ya me he identificado. Más que presidir las juntas, disfruto desempeñarme como líder en algunas de las negociaciones que estamos llevando a cabo con el consejo local, y de hecho ya tuvimos resultados exitosos: el alumbrado público es mucho mejor de lo que era hace seis meses.

### ✹ Recomendación efectiva

Hablar de los intereses le ofrece la fantástica oportunidad de impresionar. Procure aprovechar sus intereses para ordenar la información de sus habilidades personales, ya sea lidiando con la gente, trabajando en equipo, organizando eventos o siguiéndole la huella al gasto. Todas éstas son útiles habilidades laborales.

**P** Observando su CV, sus intereses parecen bastante solitarios: caminata, lectura, etc. ¿Cómo piensa que esto refleja su personalidad?

(¿Sospechan que sea un personaje triste y solitario, incapaz de relacionarse con el resto de la raza humana?)

**R** Me gusta creer que sugieren algún sentido de equilibrio. En mi actual empleo dedico mucho tiempo saliendo a conocer clientes potenciales y en la oficina somos un ocupado equipo de diez. Disfruto socializar, pero a veces puede ser bueno relajarse completamente y hacer algo diferente. En cualquier caso, la caminata es algo que normalmente hago acompañado.

**P** Si se inclinara por un nuevo interés, ¿cuál sería?

**R** Siempre me ha gustado la idea de navegar. Me gusta el agua, nadar y la idea del desafío, así como la actividad física, pensar y planear según el clima y la marea. Fue mi propósito de año nuevo, y dado que estamos en febrero, estoy determinado a convertirlo en realidad.

**P** ¿Qué otros intereses tiene además del trabajo?

**R** Me gusta la lectura, la música, las películas, el teatro, la mayoría de los deportes, viajar, cocinar, la jardinería, y mucho más.

**P** ¿Qué haría si no tuviera que trabajar y dispusiera de tiempo libre ilimitado?

**R** Es difícil de imaginar. Es algo que todos comentan que les gustaría, pero de ser así, tal vez resultaría más difícil. Ciertamente invertiría más tiempo tocando el piano y me gustaría aprender otro idioma; me arrepiento de no haber elegido idiomas en la escuela. Aunque pienso que tendría que involucrarme profundamente con algún trabajo comunitario, más que hacer cosas para mí todo el tiempo.

### Recomendación efectiva

Listar simplemente la carga de diferentes actividades no genera la impresión correcta. Evite enlistar intereses sin explicación alguna y no incluya tantos que dejen a su entrevistador pensando cómo le hace para sacar adelante un día de trabajo con tan agitada vida. Karl Marx pudo haber dicho que un ser humano pleno participa al menos en cinco actividades significativas distintas todos los días, pero sin duda es un empleado muy raro aquel que a media entrevista disfruta de una introducción a la teoría marxista.

Cuide no sobresaltarse cuando estén hablando de algo que le interesa. Es fácil caer en esta trampa porque para usted significa "territorio seguro". Limítese a los aspectos de sus intereses que reflejan algo de usted, en lugar de ofrecer al entrevistador un discurso acerca de los reglamentos para la construcción de puentes o consejos sobre qué plantar exactamente en su jardín. Lo que para usted representa una pasión, para él podría ser aburrido.

Emplee los intereses aprovechándolos a su favor. Utilice la siguiente tabla para ayudar a considerar cómo describen su personalidad y ocupe esta información para fortalecer sus respuestas durante una entrevista.

| Interés/actividad de tiempo libre | Qué dice de mí |
| --- | --- |
|  |  |
|  |  |
|  |  |
|  |  |
|  |  |
|  |  |

**Recomendación efectiva**

Para cualquier actividad que esté describiendo, ya sea que se relacione con el trabajo o el tiempo libre, considere la siguiente lista de verbos activos y procure incorporar algunos de ellos en sus respuestas. Hágalo ahora y pensando de esta manera se volverá instintivo; no tendrá que hacerlo para cada entrevista.

| Lograr | Identificar | Desempeñar |
|---|---|---|
| Analizar | Implementar | Persuadir |
| Arreglar | Iniciar | Planear |
| Calcular | Interactuar | Producir |
| Comunicar | Mediar | Seleccionar |
| Crear | Modificar | Simplificar |
| Decidir | Motivar | Triunfar |
| Desarrollar | Negociar | Probar |
| Establecer | Organizar | |

No se distraiga tratando de recordar cuáles ha incluido en sus respuestas hasta ahora.

## MULTIHABILIDOSO PARA UN MUNDO CAMBIANTE

El capítulo 3 dio ejemplos de muchas de las preguntas relacionadas con su actual y antiguo empleo que probablemente enfrente, algunas de ellas orientadas a cualidades y habilidades particulares, así como aquellas que ha desarrollado en el trabajo: administrar su tiempo, hacer frente a la presión, etc. Algunos entrevistadores harán este tipo de preguntas no necesariamente asociadas con su empleo, sino ofreciéndole la libertad de ilustrar dichas cualidades, con los mejores ejemplos que tenga de toda su experiencia. Esto resulta de mucha utilidad para la gente que no ha estado económicamente activa durante un largo periodo y es esencial para quienes comienzan por primera vez.

 ¿Qué tan bueno es lidiando con gente?

**R** Es algo que en realidad disfruto. Me gusta tener contacto con clientes, colegas y en general me describiría como una persona sociable. Soy bueno para establecer correctamente el nivel de mi conversación, no importa si se trata del director de finanzas o alguien que vino a reparar el sistema de cómputo.

(Si ocurre que le toque un entrevistador excepcionalmente malicioso, podría aplicar una respuesta como la siguiente.)

**P** Así que ocupa gran parte de su tiempo hablando. ¿Esto le deja tiempo para continuar con el trabajo que debería estar realizando?

**R** Lo sé. ¿En realidad lo hice sonar de esa forma verdad? No, tomo muy seriamente mi responsabilidad encargándome de la sección de cuentas de clientes, pero me he fijado que cuando se está persiguiéndolos por dinero, con frecuencia funciona mejor ser amable que convertirse en el tipo de persona cuyas llamadas telefónicas prefieren ignorar.

**P** ¿Qué tan buena es su habilidad para escribir?

**R** Mi mayor fortaleza es que mi habilidad para escribir es adaptable. Durante mi curso desarrollé habilidades académicas con la escritura, pero obviamente no es lo que se requiere en las situaciones de negocios. He sido secretario para un club social local por uno o dos años, lo que significa que soy bueno para tomar notas y también para escribir una correspondencia de negocios básica. No sólo confío en el corrector ortográfico de mi computadora, me agrada utilizar un diccionario.

**R** Mis estudios en la escuela significan que debíamos escribir cartas comerciales de diversos tipos y siempre obtuve buenas notas con ellas, así como con mis asignaciones en español. Actualmente soy yo quien termina escribiendo las cartas oficiales de nuestra familia cuando alguien las necesita; de hecho es algo que realmente disfruto.

**P** ¿Qué nivel y alcance de habilidades TIC posee?

**R** Soy rápido y eficiente con Word y Excel. Estoy más acostumbrado a las PC, pero he dedicado tiempo ocupando Mac. Claro que en el trabajo todos los sistemas de información están en computadora. Tengo una computadora en casa y el mantenerme ayudando a mis hijos con sus labores, verdaderamente me interesó, por lo que tomé un curso nocturno hace 18 meses.

**P** ¿Para qué utiliza su computadora doméstica?

(No están esperando conocer su lista de compras, o algo peor.)

**R** Siempre he estado interesado en la fotografía, así que me he familiarizado bastante con Photoshop; ha resultado maravilloso para mantener el contacto con los miembros de la familia que viven en otras partes del mundo. También ayudé a producir un boletín de novedades para nuestro club deportivo local.

**P** Deme un ejemplo de sus habilidades para negociar.

**R** Recientemente persuadí a varias tiendas locales y pequeños negocios de apartar espacios rentables de publicidad para un programa orientado al día del financiamiento, en ayuda a nuestro centro deportivo comunitario. Al principio fue realmente muy difícil; a la gente no le faltaba voluntad, pero a menudo se mostraban desinteresados y había que buscarlos varias veces antes de que entregaran dinero alguno. Me volví bueno para presionar sin incomodar a la gente.

**R** Parece sonar poca cosa, pero comparto una casa con tres personas más y persuadirlos de cumplir con su parte de orden, limpieza y mantenimiento en verdad ha sido una calamidad, sobre todo cuando la gente realmente se resiste. He desarrollado, tan pronto alguien ayuda, una combinación entre ser asertivo, firme y agradecido, que parece estar funcionando.

**P** Platíqueme sobre sus habilidades financieras.

**R** Siempre fui bastante bueno para la aritmética básica y encuentro fácil manejar mi propio presupuesto, aunque obviamente me gustaría poder administrar uno mayor. Fuí el tesorero de la iglesia local durante el último festejo y capturé todos los registros en Excel, así como la presentación de los resultados finales para el comité.

**P** **¿Qué tan buenas son sus habilidades numéricas?**

**R** Me siento cómodo con los números, aunque no me gustaría trabajar con ellos todo el tiempo. Ciertamente, puedo darle sentido a las hojas de cálculo: puedo, por ejemplo, examinar el presupuesto de mi departamento, comprenderlo y con frecuencia he presentado los reportes anuales, donde gran parte de la información se ofrece estadísticamente y nunca he tenido problema alguno con esto. ¿Alrededor de cuánto tiempo calcularía que estaré trabajando con números ocupando este puesto en particular? Su anuncio señalaba que una facilidad razonable con ellos sería necesaria y ciertamente la esperaría como parte del empleo.

(Si hay algo que deba aclarar, entonces es perfectamente correcto cuestionar al respecto al final de la pregunta. Si es importante para usted preguntar algo, no siempre tiene que guardarlo hasta el final. Sólo asegúrese de no resultar muy violento ni muy ansioso.)

**P** **¿Qué tal es para hablar ante un grupo de personas, ofrecer una presentación para un grupo pequeño o medianamente grande?**

**R** He estado acostumbrado a ello desde mis días de estudiante. Debíamos presentar documentación con regularidad en seminarios y en todos mis empleos he tenido que llevar a cabo presentaciones para grupos de clientes. Al principio encontraba más complicado a los grupos grandes, pero me di cuenta de que mientras planeara cuidadosamente lo que iba a decir, me asegurara de contar con buenos apoyos visuales y respetara un tiempo límite acordado, funcionaba bien. Prefiero a los grupos pequeños, pero eso se debe a que ofrecen mucho más oportunidad para que el auditorio participe, discuta, etcétera.

**P** **Describa una ocasión durante la que haya tenido que ser diplomático.**

**R** De hecho se trató de una situación laboral donde un miembro del equipo siempre se estaba quejando, al grado que sacó de quicio a todos, pero también era increíblemente sensible y hacía bien su trabajo. Yo no era su gerente, por lo que no era un caso de autoridad. Debía ser tan sutil como me fuera posible, así que empecé preguntándole cómo suponía que sus actos podrían afectar a los demás y partimos de ahí.

**P** ¿Cuál es su más reciente habilidad adquirida?

**R** He realizado un pequeño curso en inglés porque tenemos una gran cantidad de asuntos con países de habla extranjera. No podría decir que soy fluido, pero ha aumentado mi confianza y me ha ofrecido un gusto por aprender más.

**R** El año pasado fui tesorero para nuestra asociación local de profesores y padres. Me sentí intimidado porque nunca me había visto como una persona de números. De hecho descubrí que soy sumamente lógico y eficiente, y me he enseñado a preparar bases de datos y hojas de cálculo.

**R** La cocina Thai. Debo confesar que no era un buen comensal en mi época de estudiante, pero recientemente me he convertido en bastante buen cocinero. Adoro encontrar ingredientes raros y toda la planeación que conlleva la preparación.

**P** ¿Alguna vez ha hecho algo emprendedor?

**R** Cuando fui estudiante estuve haciendo uno o dos trabajos paseando perros y supuse que existirían por ahí otros cuidados necesarios para los animales. Volanteé el área ofreciendo servicio durante las vacaciones para cuidar gatos, peceras, conejos, etc. Era bastante exitoso y se ajustaba bien con las vacaciones. Al haber llevado a cabo la caminata con los perros, fue fácil obtener buenas referencias personales.

## ✻ Recomendación efectiva

Los candidatos, al presentarse a entrevistas o preparar CV, a menudo preguntan lo que deberían hacer acerca de mencionar habilidades e intereses que pudieran estar relacionados con partidos políticos y grupos religiosos. Están conscientes de que en ocasiones esto podría ser inapropiado o demasiado personal, pero para muchos de los aplicantes es la forma en que han desarrollado un dominio considerable, obtenido confianza y adquirido nuevas habilidades. Todo lo que en realidad puede usar es el sentido común: si está envuelto en algo muy importante, no debería levantarse el cabello ni las cejas; si se trata de algo más marginal, probablemente es más inteligente no utilizarlo. También piense quién es su empleador y determine si es capaz de provocar antagonismo o autorización.

Cuando esté pensando en sus cualidades y habilidades, ya sea en un contexto de trabajo, educación u otros aspectos de su vida, tome nota de aquellos que probablemente parecen más relevantes para el empleo que está siendo entrevistado.

He aquí algunos ejemplos de cómo diversas cualidades podrían aplicar para diferentes empleos:

- La habilidad de escuchar y de ser empático es importante para un consejero personal.
- Tener sangre fría y un refinado sentido de justicia son esenciales cuando conduce grandes transacciones financieras.
- Ser creativo e imaginativo es vital cuando está diseñando la portada de un libro.

Puede desarrollar aquellas habilidades y cualidades que apliquen para su caso.

Hablar de usted, ya sean sus intereses, sus logros o su personalidad, debería ser una experiencia agradable. Si se encuentra en situaciones sociales donde la gente quiere saber más acerca de usted, tómelo como un cumplido y permita que esta amable reacción permee las entrevistas. Describirse parece una difícil labor, pero hablar de cualquier cosa que haya disfrutado relacionada con el trabajo, el hogar o el tiempo libre puede ofrecer la oportunidad de mostrarse en su punto de mayor vivacidad, comunicación y relajación.

## SUMARIO Y RECORDATORIOS

Manténgase preparado para promover su personalidad mientras conserva la integridad.

1. Sea honesto, pero amable consigo mismo.
2. Discuta sus fortalezas y debilidades con amigos y colegas.
3. Al considerar los intereses, sea tan incluyente como pueda. Los intereses no sólo son determinadas actividades de tiempo libre, se pueden relacionar con su trabajo, por ejemplo, tecnología de la información; con su hogar, mantenimiento o diseño de jardines; o con la participación en su comunidad, miembro de la PTA*.
4. Relacione todas sus actividades y habilidades con el trabajo para el que esté aplicando.

---

*Parent-Teacher Association, sociedad de padres y maestros que busca involucrar más a los padres en la vida escolar.

# Capítulo 6

## Elección, cambio y oportunidad

Sus decisiones profesionales, ¿cómo las tomó?, ¿y por qué?

El lugar que ocupa o le gustaría ocupar en el vertiginoso mundo del trabajo podría ser el resultado de una escrupulosa planeación, seguridad inicial y la inquebrantable persecución de una ambición, suerte, coincidencia o casualidad –tal vez una combinación de todas ellas. Hay muchas teorías psicológicas que explican el proceso para elegir y decidir una carrera, pero en general las ignoramos mientras llevamos a cabo el viaje entre escuela, universidad y empleo, llegando al punto en el que nos encontramos actualmente. Sabemos que consideramos diversas opciones, platicamos con gente y observamos imágenes de diferentes trabajos y profesiones a través de los libros, la televisión y las películas. Tenemos contacto de primera mano con muchos empleos: profesores, doctores, personal de ventas, plomeros, abogados, vulcanólogos (bueno, no muchos de nosotros). Con toda esta información, rara vez analizamos exactamente cómo y por qué tomamos la decisión de una carrera, entonces nos damos cuenta de que se nos podría preguntar durante una entrevista y comienza el análisis.

### ⭐ Recomendación efectiva

En algunas situaciones puede anticipar las preguntas sobre las decisiones de su carrera. Asegúrese de poder ofrecer respuestas bien pensadas, cualquiera de las siguientes que aplique consigo:

▶

- Acaba de salir de la escuela o la universidad y es su primer empleo.
- Está aplicando para incorporarse en una profesión por primera vez y su capacitación resultará costosa para el jefe.
- Está realizando un cambio radical de carrera.
- Ha estado fuera de la fuerza de trabajo durante algún tiempo.
- Sus habilidades y experiencia no parecen encajar con la posición para la que está aplicando.

Su CV o formato de aplicación reflejará al entrevistador y le recordará los hechos históricos de su carrera: qué y cuándo lo hizo. Debería poner atención a la psicología que la sostiene. Su motivación, sus decisiones, sus elecciones y percepciones podrían estar todas bajo escrutinio como parte de la entrevista. Como mencionamos en la introducción de este libro, no se pueden intentar todas las alternativas profesionales con sus infinitas combinaciones y posibles cambios de dirección, pero las siguientes preguntas y respuestas ilustran cómo resultaría probable que surja este tema durante una entrevista, subrayando algunas adecuadas respuestas. Estas preguntas y respuestas son fácilmente adaptables para empatar con su propia circunstancia.

 **Ejemplo efectivo**

Empiece considerando esta pregunta muestra y el modelo de respuesta. Ambas son seguidas por un breve análisis de lo que hace a esa respuesta ser un éxito.

**P** ¿Cuál considera que es la diferencia entre una carrera y un empleo?

**R** Para mí, tener una carrera en lugar de un empleo significa trabajar en algo donde existe la oportunidad de progresar y desarrollarse. No estoy diciendo que haya un camino propiamente establecido, pero en mi caso, enseñar no sólo representa un empleo. Estoy interesado en obtener mayores niveles de responsabilidad y en ofrecer más contribuciones sobre la forma en que funciona la escuela con la comunidad local, en cómo involucrar a más padres de familia y negocios locales, y en cómo intentar mantener un profesorado contento y estable. Considero este puesto a la cabeza del sexto grado, como gran parte de mi desarrollo profesional y no sólo como un cambio de empleo. Par mí, una carrera, más que sólo pagar tus cuentas al final del mes, es algo que da verdadero significado a tu vida.

**Por qué funciona esta respuesta:**

- Para la mayoría de empleos en cualquier sector a nivel profesional, los entrevistadores esperarán que considere el puesto para el que ha aplicado, más que como un empleo, como parte de su desarrollo profesional.
- Esta respuesta se concentra en el asunto de más importancia que significa una carrera.
- Aprovecha la oportunidad para extraer algunos de los pocos temas que le interesan al entrevistador. Esto resulta particularmente útil cuando no ha existido la oportunidad en otras partes de la entrevista.
- Termina con una positiva nota personal.

---

Procure analizar algunas de las siguientes respuestas en este capítulo para observar por qué funcionan. Puede aprovechar la misma técnica cuando esté elaborando su propio modelo de respuestas.

**P** Dice saber que un empleo en mercadotecnia es adecuado para usted. ¿Por qué?

**R** Cuando todavía estaba en la escuela, uno de mis proyectos involucraba ayudar a diseñar programas para el día del financiamiento, con particular interés en su imagen y en lo que llevaría a la gente a comprarlo. Después de eso me las arreglé para obtener unos cuantos días de experiencia en una agencia de publicidad y eso me mostró todo lo que hay tras bambalinas, antes de que un anuncio aparezca en televisión, revistas o un póster. La mayoría de mis empleos han sido en ventas, aunque siempre con un asomo de mercadotecnia y capitalizando en las habilidades de comunicación que en el trabajo he desarrollado. Estoy fascinado con lo que hace que un cliente (incluyéndome) elija una marca en particular; ¿cuáles son los puntos de venta que busca la gente?

**P** ¿Cuál ha sido la mayor influencia en sus decisiones profesionales?

**R** Realmente quería ser capaz de aplicar algunas habilidades de la investigación científica que adquirí en mi curso, pero realicé una sustitución en un laboratorio técnico y me hizo caer en cuenta de que también deseaba trabajar en mayor contacto con la gente.

Ser capaz de combinar esos dos factores ha representado una fuerte influencia sobre mis decisiones. La salud ambiental está en todos mis intereses, así como en mis fortalezas y experiencia.

**R** Para empezar, fue suerte. Nunca consideré una carrera en ventas; lo acepté sólo porque se trató del primer empleo que pude conseguir. De hecho, hubiera podido llegar tan lejos como decir que no era para mí. Ahora, lucho en el ambiente y adoro motivar a otros miembros del equipo para compartir mi entusiasmo.

## Recomendación efectiva

Evite respuestas como "Vi un programa sobre ello en la televisión y me pareció muy interesante", "Siempre me ha fascinado la idea de ingeniería de cementación" o "En realidad no lo sé". Claro que estar fascinado con algo está bien, pero en realidad necesita una razón de por qué y una explicación ligeramente más larga para la fuente de fascinación.

**P** ¿Por qué quiere ir a la escuela de medicina?

**R** Supongo, para empezar, que era una especie de carrera de fantasía, algo que siempre dije que me gustaría hacer. De hecho, durante la escuela era muy bueno en ciencias, aunque interesado en la gente y también en los asuntos sociales, pero la medicina ha comenzado a parecer cada vez más la elección adecuada para mí y una con la que me siento altamente comprometido. He realizado algunos trabajos voluntarios en mi hospital local y aunque eso no es una experiencia médica, me siento bastante cómodo con el ambiente del hospital y disfruto platicar con los pacientes.

**P** ¿Cómo cree que manejaría el estrés, el lado emocional del trabajo, de revelar malas noticias a gente que está muy enferma o muriendo?

**R** Sé que sería difícil, y que aún no he sido evaluado en ese tipo de situaciones; sin embargo, de mi limitada experiencia como paciente con molestias menores, conozco cuánto ayuda ser escuchado y una cuidadosa explicación de las cosas. Espero que durante mi entrenamiento aprenda a enfrentar cada vez mejor las situaciones dolorosas, sin perder la actitud de preocuparme por los pacientes e interesarme en ellos como personas. En realidad, me gustaría ser capaz de aprovechar el hecho de que soy bueno para las ciencias, bajo un contexto que socialmente valga la pena.

**(P)** Dice estar interesado en una carrera orientada a la administración de inversiones. Explique qué entiende por administración de inversiones.

**(R)** Comprendo que estaría administrando fondos para clientes privados y corporativos, estudiando el desempeño de algunos fondos en particular y reportándolos. También sé que además de mis habilidades para investigar y escribir reportes, tendría que ser decisivo, saber cuándo comprar, cuándo vender y el momento de quedarme en el mismo sitio. Me gusta tomar decisiones; pondero las ventajas y desventajas, pero lo hago rápido, incluso cuando se trata de algo simple como la elección de un automóvil o el destino de unas vacaciones.

**(P)** ¿Cómo fue que decidió convertirse en terapeuta ocupacional?

**(R)** Durante algún tiempo había estado considerando una carrera en medicina, y en la escuela no estaba consciente de nada más allá de la enfermería o de convertirse en doctor. Entonces, al visitar a un familiar en el hospital, tuve contacto con fisioterapia y terapia ocupacional; empecé a observarlas detenidamente y conversé con gente de ambas profesiones. Me gusta la cantidad de trabajo comunitario y visitas domésticas, así como la oportunidad de apoyar a pacientes en tantos aspectos de sus vidas como proporcione la terapia ocupacional. Adoro trabajar con gente diferente; creo que es una profesión con la que estaría muy contento y en la que podría ofrecer mucho.

**(P)** ¿Qué habilidades considera que necesita un maestro?

**(R)** Disfrutar el trabajo con gente joven y tener un contagioso cariño por su propia asignatura. De mi época en la escuela, recuerdo lo sencillo que era determinar si a un profesor realmente le gustaba lo que estaba enseñando (ciertamente se aprendía mucho más cuando era así). No creo que exista una sola personalidad exitosa, pero debes ser una persona fuerte, asertiva y justa, sin ser un intimidador. También es importante respetar a tus estudiantes. He realizado un poco de trabajo comunitario con adolescentes y encuentro que mi sentido del humor juega un papel determinante para construir buenas relaciones.

(Obviamente puede sustituir cualquiera que sea la carrera o curso de entrenamiento que le acomode para esta similar y última pregunta.)

**P** **¿Han cambiado mucho sus aspiraciones profesionales con los años?**

**R** Desde luego se han desarrollado y vuelto más ambiciosas. Cuando estaba en la escuela, tenía una idea muy vaga de querer hacer algo relacionado con los negocios, incluso cuando entonces se trataba para mí de un concepto bastante nebuloso. Mi grado de estudios comerciales y los dos años en mi actual compañía, han refinado mis intereses y estoy profundamente sumergido en finanzas corporativas. Soy un buen comunicador, especialmente cuando se trata de manejar negociaciones. Trabajo en el equipo de fusiones con mi actual patrón.

## ✳ Recomendación efectiva

Aproveche las preguntas que le invitan a proporcionar información igualmente objetiva, tales como "¿qué significa involucrado en...", "¿cuáles son las habilidades esenciales para...". Ocupe la oportunidad para mezclar un comentario positivo sobre usted, como en muchas de las respuestas aquí.

**P** **¿Cómo se mantiene bien informado y actualizado con lo que está sucediendo en su campo?**

(Hay dos respuestas alternativas, porque no todos serán tan perfectos como aquí nuestro primer candidato.)

**R** Soy un activo miembro de mi asociación profesional; fungí como secretario de área el año antepasado. Me he encargado personalmente de algunas sesiones de entrenamiento, y he acudido también a reuniones y seminarios. Es un verdadero incentivo mantenerte al tanto cuando vas a empezar a trasmitir información a otras personas. Disfruto mi profesión; la veo como una carrera y como una distracción, por lo que leer y discutir asuntos y desarrollos nunca es rutinario.

**R** Siempre leo artículos de relevancia en el periódico –bueno, ahora en internet– y es una gran manera de mantenerse informado sobre lo que está haciendo la competencia.

**P** ¿Ha aprovechado cualquier desarrollo del equipo o las actividades de entrenamiento durante los últimos doce meses?

**R** He acudido a varias conferencias sobre la atención de largo plazo para mantenerme actualizado con los asuntos del sector; también he presentado un curso en construcción de equipos, así como otros dos en atención al cliente. Procuro aprovechar los cursos y conferencias cuando están de oferta; se aprende mucho trabajando en red, así como también en los eventos.

**P** De existir algunas, ¿qué necesidades de capacitación tiene por el momento?

**R** Me siento realmente cómodo aceptando este empleo de inmediato, pero estoy encantado de saber que llevan a cabo programas de inducción para el personal –realizar un rápido sumario de todo lo que está sucediendo, siempre ayuda. En el largo plazo, estaría interesado en capacitarme para mercadotecnia, he visto anunciados algunos cursos breves y excelentes.

## Pesadilla a evitar

Un candidato que aplicaba para un puesto de terapeuta dental dijo que le gustaría un entrenamiento en defensa personal, administración de la ira y Tai chi. No le ofrecieron el puesto.

**P** ¿Cómo recomendaría su profesión con alguien que está considerando incorporarse?

**R** Ofrecer conferencias lo encuentro extremadamente satisfactorio: siempre lidiando con nuevos grupos de estudiantes, la naturaleza humana apareciendo en una infinidad de variedades, y me gusta mi trabajo. Tendría que advertir a quien considere incorporarse ahora, que es sumamente competitivo y difícil obtener un contrato permanente, por lo que tendría que ser resistente, además de entusiasta.

**P** ¿Cómo considera que ha cambiado su profesión desde que se incorporó?

**R** El efecto tecnológico tendría que ser el más significativo: ha hecho algunas tareas bastante más sencillas y me ha ofrecido habilidades que nunca esperé adquirir. También ha significado trabajar mucho más en mi propia administración, aunque al final lo que cuenta es construir buenas relaciones con los clientes, lo cual pienso que siempre será parte fundamental de este trabajo.

**P** ¿Cómo supone que este tipo de trabajo cambiará en el futuro?

**R** Sé que en la actualidad internet resulta verdaderamente significativo, pero estoy completamente seguro de que lo será aún más, especialmente como medio de contacto directo con clientes actuales y potenciales. Sé que la gente habla de "la oficina sin papel" y nunca parece ocurrir, pero considero que con una base de clientes como la nucstra, avanzamos en esa dirección.

## Recomendación efectiva

Utilice este cuestionario para ayudar a organizar el material que le permitirá responder las preguntas sobre sus alternativas y decisiones profesionales. Este ejercicio resulta útil, ya sea que esté explicando su actual posición profesional o planeando un cambio de dirección.

Describa cualquier influencia que haya ayudado a tomar sus decisiones profesionales:

- Influencia familiar; por ejemplo, empleos que conoció a través de miembros en la familia.

- Influencia educativa; por ejemplo, ideas detonadas por cursos, asignaturas que ha estudiado o proyectos que ha emprendido.
- Influencia laboral; por ejemplo, empleos de medio tiempo, vacacionales o por periodos anteriores al actual.
- Influencia por intereses en el tiempo libre; por ejemplo, intereses artísticos/ creativos/culturales o nuevas habilidades, tales como tecnología de la información, lenguas extranjeras.
- Influencia a través de trabajo voluntario o actividad comunitaria.
- Cambios influenciados por su propia percepción y desarrollo personal.
- Influencia a través de la investigación de información planeada sobre trabajos, industrias, profesiones y cursos en particular, etcétera.

Si está haciendo algún movimiento en su actual profesión, podría encontrar útil escribir una descripción de puesto o una especificación personal, como si usted estuviera realizando el reclutamiento. Conoce las cualidades que encuentra de utilidad con sus propios colegas, deseables, irritantes o inaceptables, así que procure pensar desde la posición del entrevistador.

## UN CAMBIO DE DIRECCIÓN

Un cambio de dirección en el camino de su carrera puede surgir de sus propias elecciones y preferencias, o podría ser forzado a través de circunstancias fuera de su control. Sea lo que se encuentre tras su cambio de carrera, tendrá que cuestionarse con muchas de las preguntas que le realizarán sus empleadores potenciales. Si cambia de dirección porque quiere, cuestiónese por qué desea llevar a cabo tal movimiento. Podría significar que tuvo que bajar un peldaño en su escalera profesional para desplazarse. Tal vez ha tomado un descanso por algún tiempo con el fin de crear una familia, cuidar a un pariente o amigo, para luego regresar al entrenamiento o a la educación. Las preguntas de investigación con las que se habrá cuestionado y el proceso de decisiones que atravesó para provocar un cambio de rumbo, serán materia de importancia para cualquier entrevistador conforme traza el camino hacia su nueva elección profesional.

Cuando le llaman para una entrevista, su nuevo jefe querrá no sólo asegurarse de que posea las habilidades apropiadas, la experiencia y cualidades personales que correspondan y lleven a cabo el trabajo, sino también que se encuentre seguro de la dirección en la que está avanzando. Enfrentará todas las preguntas comunes relacionadas con su educación, intereses, experiencia laboral, fortalezas y debilidades, pero además necesitará tener algunas buenas respuestas para aquellas preguntas que exploren específicamente su cambio de dirección.

**P** Platíqueme por qué eligió acudir a la universidad, después de que ha estado trabajando en ventas al por menor durante 15 años.

**R** Sobre todo, porque así lo deseaba. En el fondo siempre me arrepentí de no permanecer en la escuela para continuar mi educación. He tenido éxito en mi carrera de ventas al detalle; empecé como asistente menor y fui gerente de una gran rama antes de regresar a la academia. También creí que me ayudaría a dar el paso hacia otro negocio, alejándome del comercio detallista.

**P** ¿Qué tan difícil fue regresar a la academia como estudiante maduro?

**R** Al principio fue complicado y ciertamente extrañaba el salario. Suponía que la mayoría de mi salón estaría lleno de jóvenes estudiantes recién salidos de la escuela, pero resultó que había una mezcla muy variada. Encontré que mucha de mi experiencia laboral y personal era relevante para los asuntos que discutíamos en el curso y con frecuencia era capaz de ofrecer ejemplos con situaciones reales, más que sólo apoyarnos en las respuestas del libro de texto.

**P** Antes de titularse estaba trabajando como enfermera y ahora está aplicando para consultoría administrativa. ¿Cómo explica semejante cambio de dirección?

**R** No me arrepiento de los siete años que trabajé como enfermera, pero creo haber decidido mi carrera antes de estar preparada y como resultado de una considerable presión familiar. Mis años como enfermera no han sido desperdiciados. He desarrollado excelentes habilidades interpersonales; he enfrentado el estrés y trabajado bien bajo presión; también adquirí buenas habilidades administrativas, así como experiencia para capacitar y manejar personal. Hay tantos problemas a resolver cuando lidias con la gente y su salud, que estoy segura de que encontrar el núcleo de los problemas es algo que me resultará de inmensa utilidad para la consultoría administrativa. Considero que tranquilidad y sentido común funcionarían bien con los clientes.

Ⓟ El periodismo es extremadamente competitivo. Sus antecedentes en ingeniería son, por así decirlo, poco usuales, entonces, ¿qué le hace pensar que podría tener éxito en esta profesión?

Ⓡ Antes de capacitarme como ingeniero había considerado la opción del periodismo técnico. Siempre me fue bien en inglés, así como con las asignaturas técnicas de la escuela, pero estaba más empeñado en diseñar y producir algo tangible, en lugar de sólo hablar al respecto. Conforme he progresado laboralmente, he tenido que ver mucho más con la prensa comercial y con frecuencia he pensado que yo podría escribir un artículo más legible, que parte del material con el que me he encontrado. He tenido artículos publicados en una revista de motocicletas y varias de mis cartas han aparecido en la prensa local y ocasionalmente nacional. Mi CV subraya mis habilidades en TI y sé lo importante que resultan para el periodismo actual.

## Pesadilla a evitar

Por todos los medios intente ser creativo al relacionar el pasado de su carrera con su presente elección, pero recuerde que tampoco lo puede extender demasiado. Un candidato entrevistado para incorporarse en la Real Fuerza Aérea comentó que estaba aplicando porque deseaba ser astronauta y la fuerza aérea representaba la siguiente mejor opción. Cuestionado sobre su experiencia relevante a la fecha, dijo haber estado trabajando en el mostrador de tocino del supermercado local.

Ⓟ ¿Cómo sabemos que este cambio de dirección profesional no sólo será una etapa pasajera? Podría tener otra corazonada después de haber invertido tiempo y dinero en su formación y progreso.

Ⓡ Bueno, creo que el hecho de haberme comprometido tanto con el cambio es una clara demostración. Estudiar para mis exámenes de leyes bajo la modalidad de medio tiempo fue muy demandante y tuve que ser muy testarudo al respecto. Mi empleo en administración de viviendas significó que a menudo lidiaba con gente que tenía asuntos legales y gané cierta familiaridad con el sistema judicial, a través de los casos que llevamos a la corte. A los 18 años de edad, no siempre es fácil tomar la decisión de la carrera que caracterizará el resto de su vida, pero estoy bastante convencido de que las leyes representarán mi interés por lo menos durante un par de décadas.

Ⓡ He aprovechado mucho de TI en mis empleos actuales y anteriores, y aunque la descripción de mi puesto podría mencionar "administrador", en la oficina siempre soy el que se encarga de encontrar la solución cuando tenemos problemas con el lado computarizado de las cosas y, de no poder resolverlo, me entiendo con nuestro departamento técnico. Generalmente, también termino capacitando al personal nuevo con nuestros sistemas. Considero ya haber realizado cautelosamente mi cambio de carrera y, desde luego, me gustaría un empleo donde poder desarrollar estas habilidades a un mayor nivel. Mis habilidades interpersonales también son buenas y considero que en particular se trata de habilidades que resultan descuidadas, sobre todo por el personal que trabaja con máquinas y sistemas electrónicos.

Ⓟ De no haber sido desempleado, honestamente, ¿habría considerado trabajar en este campo?

Ⓡ Es un hecho que ventas es un nuevo rumbo para mí, pero soy muy entusiasta y ciertamente me relaciono bien con la gente. Ser un buen supervisor significa conseguir que la gente haga lo que quieres sin intimidarlos y supongo que en algún sentido las ventas podrían ser similares a eso: tú quieres que los clientes compren tus productos de oficina, pero sintiendo que tomaron una buena decisión. Poseer antecedentes técnicos y prácticos también significa que tendría la seguridad para demostrar cualquier cosa que estuviera vendiendo. No estoy diciendo que me encantara la idea de haber sido desempleado, pero un desplazamiento como éste podría ser bueno para mí y, por supuesto, para mi nuevo jefe.

Ⓟ Suena como si estuviera desilusionado con su carrera en labor / electrónica /salud y seguridad social. ¿Hay algún elemento del que esté huyendo, en lugar de en realidad tomar una buena alternativa?

Ⓡ Estoy seguro de que existe algún elemento de eso, pero sólo significa que he pensado arduamente este cambio y que me siento muy motivado. Estoy tomando una decisión cuidadosamente razonada y, considero, inteligente con respecto a lo que debería realizar a continuación. Las habilidades que he adquirido y las cualidades que he desarrollado me han cambiado enormemente durante los últimos diez años y sé que hay partes de mí que no están siendo aprovechadas ni a la mitad de efectividad en que se podría.

(Para este punto resulta importante ofrecer un ejemplo concreto con alguno de los aspectos que considere útil para su nueva elección profesional, pero también enfatizando las fortalezas que ya tiene.)

Ⓟ ¿Cómo se siente respecto a deber comenzar otra vez desde el principio, convirtiéndose nuevamente en aprendiz, cuando había tenido ya considerable responsabilidad en su último empleo?

Ⓡ No me molesta en absoluto. Siempre he estado interesado en la publicación de libros, en realidad cualquier cosa que tenga ver con libros, y los años que he invertido enseñando me han otorgado un ojo clínico cuando se trata de encontrar un buen libro educacional. Estoy seguro de que deberé disfrutar mi entrenamiento y aprender rápido; lo veo como una oportunidad verdaderamente emocionante.

Ⓟ Debido a su limitada experiencia en el campo, no podríamos pagarle lo que recibe en su actual empleo de contabilidad. ¿Cómo manejaría una caída de salario?

Ⓡ Bueno, al menos mi experiencia contable significa que soy bueno para obtener lo mejor de cualquier presupuesto y, desde luego, observé cuidadosamente las implicaciones financieras de mi decisión. Espero que mi contribución a la compañía significará una revisión de mi salario en un futuro no muy lejano, pero definitivamente puedo aceptar el empleo con lo que actualmente son capaces de ofrecer.

**P** ¿En general, cómo lidia con el cambio?

**R** Estoy bastante acostumbrado. En mi anterior empleo hubo tantos cambios a causa de factores externos, que realmente creo que no se trata de considerarlo como amenaza, sino como aprendizaje, y una oportunidad para observar nuevas formas de hacer las cosas. Cuando mi último departamento fue amalgamado con otra sección, hubo todo tipo de ansiedades respecto a cómo perderíamos dominio y conocimiento especializado, pero todos terminamos muy bien informados y más capaces de ayudar efectivamente a los clientes.

**P** Si recomenzara su carrera desde el principio, ¿qué haría diferente?

**R** Estoy muy contento con la manera en que se me ha dado la carrera y mi actual empleo en el departamento legal, es una posición donde encuentro casi todos los aspectos de mi trabajo interesantes y atractivos. Supongo que si estuviera empezando otra vez desde el principio, podría elegir comprometerme en una carrera relacionada con la ley mercantil, desde antes. Fue un trabajo duro tomar cursos extra de medio tiempo. Aparte de eso, no creo que cambiaría ninguna otra cosa.

## Recomendación efectiva

Puede reflejar una impresión de mando permaneciendo impávido ante las cuestiones que suenan hostiles. Su calma y apertura hablarán mucho. Estas preguntas dirigen las preocupaciones reales que tiene el entrevistador y, una vez más, están diseñadas para poner a prueba su compromiso.

Es importante ser cálido y abierto acerca de su decisión, sin sentirse obligado a revelar información privada que no le corresponde al negocio de su jefe. No necesita finjir haber tenido siempre el sueño de ser conductor de trenes, caminar la cuerda floja o cualquier otra cosa hacia la que se esté desplazando. Debe ser claro con sus razones, así como muy convincente de su capacidad de permanencia y compromiso.

(P) Nunca antes trabajó para la pequeña empresa; deme tres razones por las que debería ofrecerle el empleo.

(R) Tengo varias ideas para desarrollar su base exportable, me encanta trabajar con gente y estoy seguro de poder ayudarlo a ser más rentable.

(P) Hasta ahora ha trabajado con el gobierno local, ¿espera que las cosas sean diferentes en esta compañía privada de ingeniería?

(R) Disfrutaba mi trabajo de diseño, siempre trabajando con estrechos plazos de vencimiento y presupuestos estrictos, pero deseo un poco menos de labor administrativa y más tiempo para invertir en el lado creativo de las cosas. Considero que si eres parte de un equipo bueno y motivado, como lo era yo, en realidad resulta más importante que el sector para el que trabajas.

De alguna manera es sorprendente todo este énfasis explicando alternativas y decisiones profesionales. Habitamos un mundo donde la naturaleza del empleo ha cambiado y en este nuevo siglo continúa haciéndolo. Con frecuencia se nos comenta no esperar la noción de una carrera progresando suave y consistentemente. Circunstancias económicas, cambios tecnológicos y mercados globales, todos contribuyen a la necesidad de ser altamente adaptables y flexibles en la aproximación laboral; de hecho, éstas son exactamente las habilidades que la mayoría de los entrevistadores afirman estar buscando. Es una de las muchas cargas de ser un candidato: argumentar el caso de su capacidad para enfrentar el cambio, cuando minutos antes estaba persuadiendo al entrevistador de ser una criatura capaz de planear, organizar y anticipar.

## SUMARIO Y RECORDATORIOS

Recuerde lo siguiente cuando le soliciten explicar su elección y cambio profesional.

1. Revise su pasado para analizar dónde se encuentra ahora.
2. Considere las habilidades que necesita para realizar su trabajo actual.
3. Piense en las satisfacciones y frustraciones asociadas con ese empleo.
4. Cuestiónese cómo vendería a alguien más su elección profesional.
5. Si está planeando un cambio de dirección, enliste las principales razones del porqué.

# Capítulo 7

## Subiendo la escalera

Muéstreles que es la persona adecuada para este empleo y que de así desearlo, se encuentra listo para ascender la escalera profesional

¿Qué papel juegan en su vida la ambición, el impulso, progreso y éxito profesional, y cómo empezaría a definir algunos de esos términos conforme se van ajustando a su circunstancia? La razón por la que los posibles empleadores están tan interesados en estos aspectos de usted, es porque se relacionan con algo muy importante para cualquiera de ellos: su nivel de motivación, esa pregunta tan importante: "¿Cumplirás el trabajo?". Suponiendo que tiene las cualidades, la experiencia correcta, un CV atractivo y una cordial entrevista, su entrevistador necesita ser capaz de reconocer un verdadero compromiso. ¿Verdaderamente quiere el empleo? No la oferta de trabajo y la oportunidad de presentarse tres semanas después, sino la oportunidad de laborar, conocer a los clientes, encajar con el equipo, contribuir a las ganancias, estatus y calidad para el futuro de la organización.

Lo que motiva a cada uno de nosotros es diferente; recompensas materiales, reconocimiento público, logro artístico, estimulación intelectual, contribuir al bien común o sentirse moral y éticamente cómodo son sólo algunos de los satisfactores que ofrece el trabajo. El simple hecho de encontrar en el trabajo un lugar razonablemente agradable para laborar, donde al final del día vaya a casa con la conciencia tranquila y disfrute de una buena botella de vino o una relajante taza de té, así como de un sueño tranquilo, representa el fin principal de mucha gente. Ciertamente, resulta un poco más desafiante encontrar algo que proporcione todo esto.

## PREPÁRESE PARA SUS ENTREVISTAS DE PROMOCIÓN, CONSIDERANDO SUS VALORES LABORALES

Antes de llegar a la etapa de la entrevista, habrá empezado a considerar lo que le interesa conforme progresa su carrera. ¿Qué pasa con el trabajo que generalmente lo levanta en las mañanas y detiene su horror a los lunes?

Utilice el siguiente ejercicio para ayudarse a organizar esta información claramente.

Observe los valores laborales listados y piense en cuál de ellos es más importante para usted. Podría desear agregar otros que no aparecen en esta lista:

- He sido capaz de salir adelante en mi carrera elegida.
- Puedo ayudar a la gente a enfrentar sus vidas, sus circunstancias.
- Las recompensas financieras son significativas.
- Al menos puedo disfrutar algún grado de seguridad con el trabajo.
- Tengo la oportunidad de trabajar por mi cuenta.
- Mi trabajo involucra algunos riesgos, no necesariamente físicos. Podrían ser financieros o la toma de decisiones potencialmente riesgosas.
- Podría haber oportunidades para viajar.
- El estatus social sujetado al empleo es muy alto.
- Existe la oportunidad de ser creativo e ingenioso.
- Percibo el trabajo como socialmente útil y de valor para la sociedad.
- Se me ofrece bastante autonomía para manejar mi propia carga de trabajo.
- Hay oportunidades para trabajar como parte de un equipo.
- Hay oportunidad de trabajar con otras personas, clientes u otros profesionistas.
- Hay una ocupada atmósfera altamente presurizada.
- No implica demasiado estrés.
- Existe oportunidad de utilizar habilidades específicas, tales como tecnología de la información, lenguas extranjeras y el diseño.

- Hay diversas oportunidades para entrenar y motivar a los demás.
- Desde las primeras etapas existe una responsabilidad considerable en mi profesión.
- Existe la oportunidad de una mayor instrucción profesional.
- Existe la oportunidad de utilizar habilidades interpersonales: persuasión, negociación, etcétera.
- Mis ideas pueden representar una verdadera contribución para la manera en que se lleva a cabo el trabajo.
- Hay una variedad considerable de tareas que emprendo diaria/semanal/mensualmente.
- Tengo la oportunidad de ocupar buenas habilidades de escritura.
- Tengo la oportunidad de ocupar buenas habilidades matemáticas.
- El pago está relacionado con el desempeño.
- Hay muchas oportunidades de promoción.

Es probable que sea conducido por una combinación de muchos de los diversos factores citados y que ya se encuentre involucrado en, o buscando, el trabajo que hasta cierto punto empata con dicho perfil. Si tiene claro lo que le motiva, ayudará para responder algunas de las preguntas que le dirigen los entrevistadores con el fin de verificar su entusiasmo y motivación.

 **Ejemplo efectivo**

Considere la pregunta y la respuesta, seguidas de un análisis.

**P** ¿Qué tan lejos pretende llegar con esta organización?

**R** Toda mi previa investigación y la impresión que me he llevado hoy han confirmado mi interés y entusiasmo por este trabajo. Siento que estoy en un punto de mi carrera donde realmente apreciaría desarrollarme con una compañía, así que me gustaría llegar tan lejos como sea posible. Durante esta etapa estaría muy contento si me ofrecieran un puesto como administrador de proyectos, creo que podría manejarlo muy bien para ustedes. Me gustaría pensar que con una mayor comprensión hacia el interior de su compañía podría progresar hasta los más altos niveles de administración y, aunque no me siento impaciente al respecto, sus proyectos actuales parecen demandantes e interesantes.

**Por qué funciona esta respuesta:**

- Comienza con una nota muy positiva.
- Resulta complementaria para la organización.
- Sugiere un compromiso de largo plazo.
- Proporciona la seguridad de que el candidato está comprometido con el puesto ofrecido.

Como ejercicio, intente construir una respuesta igualmente positiva para un candidato que se encuentra entusiasmado con el empleo ofertado, pero contento de permanecer como administrador de proyectos y sin querer necesariamente alcanzar la cima.

Procure analizar algunas de las siguientes respuestas en este capítulo para observar por qué funcionan. Puede aprovechar la misma técnica cuando esté elaborando su propio modelo de respuestas.

**P** ¿Cómo consiguió su primer empleo?

**R** Realicé aplicaciones con todas las agencias de viajes a las que pude acudir razonablemente sin tener que mudarme y la tercera que me entrevistó me ofreció un empleo. Aún puedo recordarlo claramente. Sabía que se trataba de incorporarse en un área competitiva y realmente estaba emocionado con tener la oportunidad de hacer algo que me interesara.

**R** Fui a hablar con alguien que era el amigo de un amigo que tenía un puesto directivo en esta pequeña compañía manufacturera y me ofrecieron un empleo. Al momento ni siquiera estaba seguro de quererlo, pero ciertamente me sentía contento por la oferta.

**R** Aplicaba justo cuando caímos en recesión, así que debí realizar varias candidaturas, enviar docenas de CV y llevar a cabo lo que parecieron cientos de llamadas telefónicas, aunque posiblemente no fueron tantas. Eventualmente ingresé a una firma local de abogados, ofreciéndome a realizar trabajo voluntario, sólo fotocopiando, encargándome de la recepción y ese tipo de cosas, pero terminaron incorporándome y evaluando el resto de mis cualidades.

**P** ¿Cómo obtuvo su empleo actual?

**R** Se me acercó un consultor en reclutamiento que buscaba a alguien para encabezar la división recién creada por mi actual jefe. Me enfrenté a una decisión muy complicada porque disfrutaba mi anterior empleo y la compañía me había tratado bien, pero al final, esto representaba un nuevo desafío y uno financieramente conveniente, así que tomé la decisión de desplazarme. He permanecido ahí durante los últimos tres años y medio y la división funciona de manera fluida, por lo que me siento listo para avanzar.

**R** Mientras lograba algún cambio de dirección entre ingeniería administrativa de producción y autoría técnica, comencé aplicando para cualquier anuncio adecuado en la prensa nacional y especializada, así como también me acerqué a algunos lugares en específico. Finalmente obtuve mi actual puesto a través de un anuncio en la prensa comercial.

**P** ¿Está buscando un empleo temporal o permanente?

(Obviamente su respuesta –lo que sea que en realidad prefiera– será influenciada por lo que sepa que está en oferta y dependiendo de ello los entrevistadores podrían estar buscando algo como una de las siguientes respuestas.)

**R** Como estaré dejando un empleo permanente, a decir verdad preferiría también desplazarme hacia algo permanente, especialmente algo como esto donde me parece que existe una oportunidad real para desarrollarme con la organización. Ahora que he aprobado todos mis exámenes profesionales, me gustaría comprometerme con una compañía que me agrade y permanecer ahí durante el futuro previsible.

**R** Por el momento, quedaría muy satisfecho con un puesto temporal. Pienso que sería una buena oportunidad para obtener un poco más de experiencia en investigación de mercados. Si las cosas marcharon bien desde su punto de vista y el mío, y algún puesto permanente resultara ofrecido en el futuro, entonces ciertamente consideraría aplicar para él.

**R** Actualmente me gustaría salirme de ofrecer enseñanza e incorporarme a un puesto permanente. He aprendido bastante de mi trabajo en diferentes escuelas, algunas que enfrentan verdaderos problemas y otras que van bien. Establecer rápidamente el vinculo con los salones y mantener la disciplina es realmente una buena experiencia. Habiendo estado en la escuela hoy, la atmósfera es en verdad excelente y me encantaría un puesto permanente aquí.

**Recomendación efectiva**

Para crear la mejor impresión posible, deje claro que si tuvo un golpe de suerte o enfrentó considerables dificultades al buscar trabajo, permanece activo, bajo control y preparado para tomar decisiones.

**P** ¿Por qué ha decidido abandonar su empleo actual?

**R** Aún disfruto mi trabajo y mi última evaluación sugirió que estaba listo para aceptar mayor responsabilidad administrativa, pero parece improbable que el negocio crezca durante los próximos dos años. No quiero colocarme en la posición de sólo representar un costo.

**P** Entonces, si dices que realmente no es desafiante, ¿qué podría hacer para que su trabajo sea más interesante?

(En otras palabras, ¿quién tiene la culpa de que esté costando: usted o su jefe?)

**R** Ya he tomado algunas medidas. He sido voluntario para tomar mayores responsabilidades con la capacitación de personal y recientemente inicié una nueva inspección sobre la satisfacción del cliente, pero todavía siento que podría estar haciendo más, especialmente administrando y motivando equipos de venta más grandes.

(Otras posibles razones para dejar un empleo incluyen las siguientes.)

**R** Había previsto y se me dijo que gran parte de mi actual empleo involucraría rediseñar, desarrollar y mantener el sitio web de la organización, esto fue lo que realmente me enganchó del trabajo, así como para lo que me han preparado mis cualidades y mi anterior empleo. Estaba bastante contento ayudando con otras tareas administrativas en el departamento –acepto que todos necesitamos apoyar–, pero la administración ha terminado por aprovechar el 70 % de mi tiempo; el sitio web parece no ser una prioridad y no quiero perder mis habilidades por falta de práctica.

**R** No tenía planeado salir, fue hasta que vi esta posición anunciada cuando verdaderamente pensé que era una oportunidad a no desperdiciarse. Realmente aprecio la idea de ser capaz de aprovechar mis habilidades para escribir, así como aquellas de TI –representan mis principales intereses laborales–, así que sólo debía intentarlo.

Ya sea que busque una promoción o un empleo de nivel similar al que actualmente tiene, los entrevistadores quieren saber si trabajar con usted resulta difícil.

**P** ¿Cómo reacciona cuando un colega critica su trabajo?

**R** Depende lo valiosa que sea la crítica y, hasta cierto punto, la manera en que me sea expresada, pero escucho el punto tratado y procuro no ser muy sensible. Me gusta compartir ideas y sugerencias con otras personas; lo que en ocasiones parece un comentario adverso, me ha enseñado algo muy útil.

**P** ¿Cómo reaccionaría si un colega le envía un correo electrónico que considera descortés?

**R** Eso es interesante, porque creo que la gente con frecuencia es menos cuidadosa o considerada cuando envía correos electrónicos que cuando tiene que escribir un memorando. Aunque en general procuro barrer las pequeñas descortesías manteniéndome amable, si el asunto se vuelve serio, por ejemplo, acosador o abusivo, obviamente tendría que llevar el asunto más lejos.

## Recomendación efectiva

Cuando esté describiendo sus buenas habilidades de comunicación, asegúrese de incluir el correo electrónico; mucha gente olvida que existe una diferencia entre los correos amistosos y laborales.

**P** ¿Cómo reacciona cuando no se sale con la suya respecto a algún tema laboral?

**R** Dependería de lo crucial que considere dicho asunto para nuestro trabajo. Uno de los altos directores quería llevar a cabo modificaciones que habrían alterado el trabajo y la responsabilidad de todos, mientras yo sentía que en realidad esto significaba un servicio mucho menos efectivo para nuestros clientes, con la pérdida de una gran cantidad de conocimiento especializado. Estaba muy en contra de la idea, así que plasmé mis argumentos con lujo de detalle y, esperaba, muy persuasivamente, sobre el papel para que la administración tuviera una amplia oportunidad de considerar mi punto de vista. Para mi fortuna funcionó y los planes fueron archivados. Por supuesto que no siempre resulta a mi favor, pero sé que puedo presentar algún argumento persuasivo cuando debo y, si resulta necesario, también puedo aceptar las decisiones de los demás.

**P** ¿Cuándo fue la última vez que perdió la calma en el trabajo?

**R** No después de haber sido principiante e inexperto. He aprendido a ser firme sin perder la cabeza y creo que se trata de un ejemplo muy pobre cuando cualquier empleado, sobre todo los altos directivos, está fuera de control.

**R** El día en que el nuevo sistema de cómputo falló en el funcionamiento para el que estaba diseñado. Yo no era parte de la comisión, pero no fui el único realmente frustrado. Me enseñó a realizar muchas preguntas desde el principio de cualquier plan de proyecto.

**P** ¿Qué opina de su actual gerente?

**R** Ella es muy efectiva, especialmente delegando las tareas adecuadas para la gente correcta, y he aprendido mucho de ella. De realizar una crítica, sería pensar que podría tener mayores logros involucrando grupos más amplios de personal para hacer consultas, antes de tomar decisiones; a veces pierde la buena voluntad sobre equipos con personal que de otra manera resultarían altamente motivados.

**P** ¿Qué opina de sus actuales jefes?

**R** Como jefes están bien y no tengo quejas, pero me gustaría ver que fueran un poco más imaginativos respecto a la línea de ropa de moda que vendemos. Trabajando por el lado de las compras, puede ser frustrante cuando sientes que tienes buenas ideas pero sin existir en realidad un escaparate para ellas. Claro que debes aceptar que no todas tus ideas serán buenas, pero como sabes, nuestras ventas no fueron brillantes el año pasado, por lo que necesitamos hacer algo.

**P** ¿Cómo mantiene el interés en su empleo actual?

**R** Muy sencillo: trabajo en varias cuentas donde cada una corresponde a un cliente diferente y entonces mi trabajo tiene gran variedad, tanto en términos diarios como de largo plazo. Nunca hay dos cuentas iguales, incluso cuando en teoría el proceso que practicas resulta casi idéntico.

## Pesadilla a evitar

Una pesadilla puede ser decir que su jefe actual es la persona más sucia y malintencionadamente megalomaniaca que jamás haya existido y que usted tiene serias dudas con respecto a su origen humano, para luego descubrir que es amigo cercano del presidente del panel entrevistador. Cuidado, una moderada crítica de su rol/organización actual puede estar bien, pero quejarse definitivamente no. La fidelidad es una cualidad apreciada por todos los jefes, así que incluso trabajando actualmente para la competencia, comportarse deslealmente no le ganará muchos amigos.

**P** Coménteme sobre alguna meta laboral que se haya propuesto.

**R** Suena fácil, pero hace algunos meses decidí que siempre completaría la papelería relevante al final del día, incluso cuando me retrasara un poco. Esto ha logrado una verdadera diferencia en mi nivel de energía y me he vuelto bastante más productivo. Ahora procuro extender esa buena práctica entre colegas.

**R** Me di cuenta de que algunas personas no estaban diciendo nada durante nuestras juntas de sección y entonces decidí actuar al respecto preguntándole algo a cada quien, sin hacerlos sentir totalmente bajo el reflector. Lo establecí como objetivo para lograr que todos contribuyeran. Ha funcionado bien, aunque creo que al principio uno o dos de los miembros más callados lo encontraron un poco intimidante.

**P** ¿Cuál es su salario actual?

**R** Por el momento me pagan…, aunque de permanecer con mi jefe actual espero un aumento en tres meses. Los incrementos de salario están ligados a la revisión anual del desempeño y hasta el momento los he recibido cada año.

**R** Actualmente recibo…, no obstante, espero mejorarlo de obtener la oferta de un puesto aquí.

## Recomendación efectiva

Antes de comprometerse, revise el valor que ostentan puestos semejantes en organizaciones similares, para luego ser realista y optimista.

No tema a las preguntas relacionadas con sus expectativas de pago. Si solicita demasiado, lo peor que puede ocurrir es que digan "no". Si solicita muy poco, es muy probable que lo inviten a pedir más.

**P** ¿Qué salario espera que le paguemos?

**R** Mi salario actual es de…, y espero mejorarlo cuando tome un nuevo empleo. Al observar la descripción del puesto, veo que mi trabajo con ustedes es más demandante y es una de las razones por las que he aplicado, pero espero que dicho aumento de responsabilidad sea reflejado en lo que estén preparados para pagarme.

**R** Habiéndome desplazado de una organización con una estructura de sueldos fijos, encuentro como una nueva experiencia estar negociando mi propia remuneración, pero he investigado lo que actualmente sería una tasa razonable para este empleo y sé que me encuentro bien calificado y entusiasmado, así que por lo menos esperaría…

**P** ¿Cree que el estar titulado debería afectar su salario inicial?

**R** Me gustaría pensar eso, pero actualmente estoy más interesado en acelerar el progreso de mi carrera, lo que por supuesto afectaría mi salario. Creo que mi curso resulta sumamente relevante para esta posición y estoy seguro de que disfrutaría trabajar aquí.

### Recomendación efectiva

A pesar de que nunca debe malvenderse, es importante permanecer pragmático y realista. A veces colocar un pie en la puerta puede resultar más importante que el nivel inicial de su salario.

**P** ¿Cree que su remuneración es suficiente?

**R** Sé que mi remuneración iguala favorablemente a otras del mismo nivel en mi profesión, pero estoy preparado para invertir tiempo y esfuerzo adicional, y considero razonable que se me recompense por ello.

**R** Realmente no. Acepté la posición con un salario bastante bajo porque en ese entonces no tenía mucha experiencia directa en el campo, pero rápidamente me puse al corriente y tengo un buen seguimiento de registros. Pretendo negociar una mayor cantidad de dinero si permanezco en mi posición actual y espero un cierto grado de éxito con mi negociación.

### Recomendación efectiva

Dada la actual competencia laboral en este clima económicamente complicado, no permita que la falta de confianza lo arrastre hacia abajo cuando esté hablando de dinero. Asegúrese de haber considerado lo mínimo que aceptaría y lo que en realidad le gustaría. Si tiene esto claro en su mente, es bastante menos probable que suene torpe y vulnerable al discutir el pago. Recuerde también que lo peor que puede suceder cuando solicita más de lo que están preparados a pagar es que digan: "Lo siento, no podemos".

**P** ¿Cómo se ve dentro de tres años?

**R** Como vengo justamente de incorporarme a la profesión de fisioterapeuta, parte de mí desearía mantener las opciones abiertas y aprender tanto como sea posible, aprovechando las diferentes especialidades con las que deberé tener contacto durante los próximos años. Realmente disfruté mi trabajo en neurología durante el entrenamiento, así que podría ser una opción a elegir. La administración me interesa en el largo plazo, pero quiero trabajar varios años con pacientes antes de desplazarme en esa dirección.

**R** Por lo que he aprendido hasta ahora, ésta es una compañía viva que se está expandiendo en todos sentidos, por ello, en verdad espero todavía estar aquí dentro de tres años. Elegí aplicar para la división de operaciones con clientes porque me parece una gran manera de aprender mucho sobre sus servicios, sus clientes y sus finanzas. No obstante, si esto me ayudara a aprender más y me preparara con mayor efectividad para la dirección administrativa, estoy dispuesto a desplazarme a otras divisiones.

## PROMOVIENDO SU CAUSA

Las entrevistas de promoción pueden ser exigentes. No sólo está ilustrando lo bien que trabaja en su papel o profesión actual, sino que también se le solicita demostrar lo indicado que es para aceptar más, y enfrentar nuevos desafíos y actividades. Entonces, hasta cierto punto –sin importar la evidencia que produzca–, parcialmente están confiando en usted.

Sin embargo, enfrenta muchas preguntas similares, ya sea que esté buscando una promoción con su jefe actual o intentando ascender en la escalera profesional. En cualquier caso, tendrá que convencer al entrevistador de su idoneidad.

## PROMOVIENDO SUS PROPIOS INTERESES

**P** ¿Qué busca con esta promoción?

**R** Desde luego, busco la oportunidad de tener más responsabilidad, pero específicamente sé que un empleo a este nivel significará una mayor oportunidad de contribuir en las decisiones. Me gusta el hecho de que el trabajo requerirá que me involucre en la planeación estratégica. Mi anterior experiencia en la planeación de proyectos resultará muy útil al respecto.

**R** Sé que este empleo involucrará un menor contacto con los clientes, pero creo que los puedo servir mejor tomando la responsabilidad de capacitar al personal que los atiende y desarrollando políticas que enriquezcan su apoyo. He disfrutado mi contacto con los clientes, aprovechándolo para aprender lo que consideran un buen servicio y lo que verdaderamente les molesta; me encantaría actuar sobre esto. Si lo desea, puedo ofrecerle algunas ideas.

### Pesadilla a evitar

En una determinada entrevista de promoción, se le solicitó a cada candidato preparar una breve presentación para ofrecer al panel. Los materiales fueron suministrados para este propósito. Uno de ellos anunció que simple y llanamente no iba a utilizar los montones con estrafalarias plumas de colores y tablas para desperdiciar el tiempo como lo hizo el sangrón que lo antecedió (había visto en la habitación de los preparativos lo que imaginó como el laborioso trabajo del candidato anterior). Resultó ser una tabla preparada con tiempo y esfuerzo, ni más ni menos que por un integrante del panel entrevistador para una sesión de entrenamiento al día siguiente. Una estrategia no ganadora.

**P** Tenemos varios aplicantes internos para este puesto. De ofrecerle el trabajo, ¿cómo haría frente a cualquier posible resentimiento de estos decepcionados candidatos al incorporar a un externo?

**R** Cuando acepto un nuevo empleo, procuro escuchar y aprender para formarme una buena idea de cuáles son los asuntos, problemas y personalidades que se encuentran en el equipo con el que estoy laborando. Ciertamente adoptaría un acercamiento profesional con todos los que trabajo y, desde luego, esperaría que los demás hicieran lo mismo. Por otro lado, la decepción puede resultar difícil de enfrentar y si pareciera que el resentimiento está afectando la manera en que trabaja alguien o todos nosotros, entonces supongo que tendría que hablar con él o ella al respecto, ofrecer seguridad y motivación. Si su comportamiento se volviera totalmente irrazonable, tal vez tendría que considerar otras aproximaciones.

### Recomendación efectiva

Posiblemente también tendrá que adaptar esta respuesta cuando está aplicando para una promoción interna y más gente de su sección o departamento es rival para el empleo. De hecho, de ser exitoso, ésta sería una situación más difícil de manejar.

**P** Probablemente esté consciente de que otros dos de sus colegas han aplicado para este empleo. Si resulta exitoso, ¿cómo afectaría su manera de trabajar?

**R** No lo haría, por lo menos no con mi actitud al trabajar con ellos, y esperaría que todos actuáramos igual. De tomar el empleo, aprovecharía la oportunidad para asegurarme de que todos en el departamento estuvieran motivados y obteniendo la oportunidad de realizar actividades y responsabilidades para las que son sobresalientes. Estoy seguro de que esto ayudaría a suavizar cualquier diferencia.

**P** ¿Con qué ideas nuevas, que no tienen otros candidatos, contribuiría al trabajo?

**R** Invertiría algún tiempo conociendo el departamento para poder evaluar lo que ya estuviera funcionando, pero también observando si existen áreas donde pudiéramos ser más eficientes. Mi reciente diploma en administración me ofreció la oportunidad para ver de cerca la manera de establecer la mejor mezcla de habilidades en los grupos de trabajo, obtener mejores resultados para la compañía y una mayor satisfacción entre los miembros del equipo. Noto que tienen grupos de proyectos en el departamento, por lo que algunas de mis ideas podrían resultar muy efectivas aquí.

**R** Me volví bueno encontrando soluciones creativas para los problemas logísticos y prácticos, cuando realicé dos años de servicio voluntario en ultramar. Muy a menudo resultaba imposible contar, ya fuera con el equipo o el personal que idealmente hubiera preferido tener, así que sólo tenía para trabajar cualquier cosa que estuviera disponible. Estaba involucrado construyendo proyectos, por lo que obviamente no podíamos comprometernos con la seguridad, pero ciertamente aprendí a ser flexible.

**(P)** ¿Qué tan estricto es cuando se trata de disciplinar a un miembro del equipo?

(Esta pregunta no es exclusiva de las promociones, pero tales responsabilidades tienden a aumentar conforme asciende la escalera profesional.)

**(R)** Es una situación que ya he tenido en mi empleo actual, donde había un miembro del equipo con un registro de tiempo muy pobre. Procurábamos ser flexibles debido a su situación doméstica, pero serlo es muy diferente a permitir que alguien se aproveche. Antes de involucrarme fui tan firme como se requería, confirmando reglas, regulaciones y situaciones legales, pero también habiéndome asegurado de estar siendo justo. Cuando era necesario, lo consultaba con el personal apropiado.

**(P)** No ha estado en su actual puesto durante mucho tiempo. ¿Crees estar listo para esta promoción?

**(R)** Por supuesto. Me siento seguro y muy emocionado con el prospecto de convertirme en subdirector. Tal vez no he estado en la enseñanza por varios años, pero llegué a la profesión ya como una persona madura y con una considerable experiencia tras de mí. También tener a mis propios hijos en la escuela antes de haber comenzado a enseñar me ha ofrecido una bien fundada comprensión de los asuntos que enfrenta la profesión, las cambiantes demandas y las presiones que enfrentamos. Creo que soy el tipo de líder que acerca a los colegas consigo, más que aquel que los empuja por la espalda.

**(P)** ¿Cómo se sentirá si no obtiene esta promoción?

**(R)** Naturalmente será una decepción, es algo que en realidad deseo, me siento listo para ello y considero tener bastante experiencia en todos los aspectos del negocio hotelero y particularmente en este hotel. Sin embargo, aún disfruto mi actual empleo como director adjunto, por lo que no me imagino de inmediato desilusionado y perdiendo el interés en mi trabajo.

**P** ¿Por qué antes no había aplicado para algo a este nivel?

**R** Lo pensé hace uno o dos años, pero había un proyecto que ciertamente quería ver terminado y aún estaba disfrutando lo que hacía. De hecho aún lo estoy, pero ahora en realidad deseo manejar un equipo más grande.

**P** Esta posición requerirá considerables demandas de sus cualidades como líder. ¿Cuál diría que es su estilo de liderazgo?

**R** Soy un líder fuerte y supongo que me describiría como un formador, bueno con las nuevas ideas y rápido para detectar y delegar efectivamente, así como eligiendo las tareas apropiadas para mí. He aprendido mucho sobre mi estilo de administración, participando con los gerentes de otros departamentos en proyectos conjuntos, donde hemos tenido que trabajar de manera más cooperativa. Esto ha resultado útil: aún soy un líder fuerte, pero he aprendido el valor de consultar y de aprovechar al máximo las habilidades que posee cada miembro del equipo.

**P** Este trabajo parece muy similar al que actualmente desempeña. ¿Por qué ha aplicado para él?

**R** Es cierto que su descripción de puesto es muy similar al que actualmente desempeño, pero en realidad no creo que dos determinados trabajos sean iguales: diferentes clientes, distintos proyectos y diversas aproximaciones. Soy ambicioso, pero creo que una de las maneras de desarrollar esa ambición es obteniendo primero una detallada comprensión del negocio. Considero este movimiento como uno muy emocionante.

### Recomendación efectiva

No se desanime con preguntas que parecen criticar sus decisiones: está explicándolas, no justificándolas. También es posible que desee verificar si se vuelve defensivo, así que no caiga en su juego.

**P** ¿Qué lo motiva en su trabajo actual?

**R** Elegí convertirme en asistente para el cuidado de la salud porque pensé que disfrutaría de trabajar con gente y me agrada la idea de laborar en este ámbito. No tenía varias de las cualidades formales, y mi anterior experiencia laboral en su mayoría correspondía al comercio detallista. Ahí me gustaba lidiar con los clientes, pero quería hacer algo donde trabajara más cercano a la gente y sintiera que los ayudaba. En realidad disfruto mi trabajo; aunque gran parte del tiempo proporciono cuidados físicos, llego a conocer a los pacientes y en ocasiones encuentro el espacio para charlar con ellos y hacerlos sentir mejor, mientras que parte del equipo profesional simplemente no puede. También me agrada trabajar en equipo. Actualmente he tomado un NVQ nivel 2, y en su momento me gustaría ampliar mis cualidades.

**P** ¿Considera estar más calificado de lo que requiere este trabajo?

**R** No, no lo creo. Considero que mi experiencia y mis cualidades significarán que puedo realizar el trabajo muy eficientemente desde el primer día, siendo de inmediato un miembro bastante útil para el departamento. Desde que salí de la universidad, siempre he tenido ganas de trabajar en una compañía pequeña como ésta. Me gustaría el trabajo y ustedes obtendrían a un buen miembro para el equipo.

## ✸ Recomendación efectiva

Algunas preguntas simplemente aparecen para que dé una impresión brillante. Manténgase bien preparado para las preguntas donde, como dicen en los mercados de dinero, "es momento de vender, vender, vender" y el producto es usted. Esto aplica tanto para buscar una promoción, como un cambio.

**P** Hoy estamos recibiendo a varios candidatos. ¿Qué le distingue de los demás?

**R** Toda mi experiencia y calificaciones se relacionan directamente con lo que refleja su descripción de puesto, pero más que eso, su plan de expansión a Europa empata muy bien con mi reciente temporada en París. El personal que he conocido hoy, así como esta entrevista, me han convencido de que encajaría extremadamente bien aquí y en realidad me agradaría, lo que siempre representa un gran incentivo.

**P** **Deme tres razones de peso por las que deberíamos ofrecerle este empleo.**

**R** Debido a que ya he administrado un centro de salud exitosamente, ciertamente demuestro que puedo realizar el trabajo. Adicionalmente, soy bueno generando y poniendo en acción nuevas ideas. Por ejemplo, desarrollé un esquema para que más pacientes pudieran acceder a diversas terapias complementarias, con un mínimo reflejo en nuestro presupuesto global. Las habilidades en equipo son una de mis verdaderas fortalezas. Cuando hay varios profesionales involucrados, resulta sencillo (y de una manera inútil) volverse aislado o competitivo. Soy bueno para fomentar la cooperación y el entendimiento entre diferentes grupos de trabajo. Encima de estas razones, me encuentro realmente entusiasmado con respecto al puesto; invertiría una gran cantidad de energía en él.

**P** **¿Aceptaría el puesto si se lo ofreciéramos?**

**R** Definitivamente sí. Me entusiasmé tan pronto vi su anuncio y la descripción de puesto se ajusta muy bien con mi experiencia y habilidades. Aún más, el conocer a mis colegas potenciales y descubrir mejor sus actividades, me ha clarificado el emocionante desafío que representaría trabajar aquí.

## Recomendación efectiva

A menos que esté absolutamente convencido de que bajo ninguna circunstancia querrá el trabajo, suene siempre entusiasta. No está comprometido hasta que haya firmado un contrato.

## ¿HAY ALGUIEN TRAS SU CABEZA?

Conforme gana más experiencia en su campo de elección, es probable que ocupe agencias de reclutamiento o consultores para ayudarse a encontrar trabajo. También es posible que los *headhunters* (caza talentos) lo busquen para comprobar su idoneidad con alguna posición en particular. En cualquiera de estas instancias, debería trabajar igualmente arduo para sus entrevistas.

**P** Su CV se ve bien, pero tenemos registradas a varias personas igualmente calificadas. ¿Qué lo distingue?

**R** Pienso que tanto el hecho de haber trabajado para una empresa grande como para una firma pequeña, me ha otorgado una muy buena perspectiva para obtener lo mejor de la gente y detectar pequeños problemas antes de que se vuelvan más grandes. Noté, por ejemplo, que muchos clientes pequeños nos abandonaron cuando cambiamos nuestro sistema de TI, así que fuimos capaces para motivarlos de vuelta.

Al buscar una promoción o un cambio debe reconocer en ambos casos nuevos o diferentes aspectos del trabajo, así como los que son similares a sus posiciones actual o anteriores, y evitar comentarios tales como "Vaya, no ha hecho nada exactamente como esto antes".

## SUMARIO Y RECORDATORIOS

Conforme asciende su escalera profesional, pise cuidadosamente y prepárese para el siguiente paso:

1. Considere lo que resulta verdaderamente importante de su trabajo.
2. Prepárese para las preguntas que se enfocan en su compromiso y lealtad.
3. Relacione su experiencia anterior con cualquier tarea y responsabilidad nueva que esté consciente que formará parte del empleo para el que está aplicando.

# Capítulo 8

## ¿Está seguro de ser competente?

Basado en competencias o entrevistas de comportamiento: aprovéchelas a su favor

Reclutar al mejor personal probablemente sea la actividad más importante que emprende cualquier jefe, así que se esfuerza para encontrar métodos de entrevista que resultarán efectivos y suministrarán fieles predicciones de quien parezca probable para representar al empleado perfecto. Esto ha llevado a un aumento en la tendencia de lo que se conoce como entrevista basada en competencias.

### Recomendación efectiva

Asegúrese de saber lo que quiere decir competencia. Competencia significa ser capaz de hacer algo, tener la habilidad de desempeñar una tarea en particular o cumplir una determinada función con efectividad.

A veces las entrevistas basadas en competencias son desconcertadamente conocidas como "entrevistas de comportamiento", aunque este término se utiliza para referirse a competencias laborales más que a la etiqueta. Estas entrevistas no se enfocan en su educación, historia laboral o intereses. Los entrevistadores no le van a preguntar sobre usted o por qué desea el empleo. Estas entrevistas se concentran en el hecho de que posea las habilidades para realizar una determinada tarea y hacerla bien.

Las entrevistas que están basadas en, o incluyen un gran número de elementos de preguntas de competencias, en buena medida se están convirtiendo en la norma. Es muy probable que se encuentre con ellas cuando sea entrevistado para alguna posición en grandes organizaciones. No necesariamente les agradan a todos los entrevistadores que las utilizan. Algunos se quejan de que son inflexibles, artificiales y no ofrecen un cuadro tan completo de toda la persona. Sin embargo, de estar leyendo esto, entonces es probable que su actual simpatía no se dirija a la difícil situación de los miembros en el panel entrevistador. Su preocupación radica en lo que puede esperar de estas entrevistas y cómo asegurarse de poder superarlas bien para optimizar sus posibilidades de éxito.

A continuación, hay una lista de las habilidades más comúnmente buscadas. No se desanime con ella, es probable que ningún entrevistador requiera la evidencia de todo lo que aparece en la lista. Generalmente, los jefes tienen una lista de seis o siete que son las más relevantes para un determinado puesto. Las descripciones de puesto y especificaciones personales es probable que reflejen de cuáles se trata, por lo que no debería ser tomado por sorpresa.

- Adaptabilidad.
- Comunicación: escuchar, hablar, escribir.
- Toma de decisiones.
- Instinto emprendedor.
- Influencia.
- Imaginación.
- Innovación.
- Liderazgo.
- Administración de personal, recursos y proyectos.
- Negociación y persuasión.
- Planeación.
- Solución de problemas.
- Administración de proyectos.
- Construcción de relaciones.
- Administración de recursos.
- Administración personal.
- Pensamiento estratégico.

- Trabajo en equipo.
- Ocupar y desarrollar el dominio.

Podría encontrar entrevistas de competencias a cualquier nivel para el que esté aplicando, sin importar el tipo de empleo. Son populares en varias profesiones que van desde ventas hasta el cuidado de la salud y a cualquier nivel de administración y supervisión de reclutamiento.

La línea divisoria entre basado en competencias y otras entrevistas, con frecuencia, es borrosa. Muchos empleadores entrevistan utilizando una combinación de preguntas biográficas, generales, con escenarios y competencias. En los capítulos anteriores ya ha encontrado algunas preguntas respecto a las competencias. Este capítulo las desarrolla con mayor detalle.

 **Recomendación efectiva**

He aquí una rápida manera de detectar cuándo lo cuestionan con una pregunta respecto a las competencias. Comenzará con una frase como "Describe una ocasión", "Señala una situación", "Platícame de alguna vez", etc., de manera que sea claro y abiertamente invitado a describir experiencias reales y específicas.

## PREPARÁNDOSE PARA ENTREVISTAS BASADAS EN COMPETENCIAS

No existe una fórmula de preparación para éstas, pero hay algunos puntos a mantener enfocados. Este libro ha enfatizado frecuentemente la necesidad de preparar varios ejemplos concretos sobre el trabajo, la educación y otros aspectos de su vida, al ilustrar las habilidades, cualidades y potencial que afirma poseer cuando es entrevistado. Los requerimientos de llevar a cabo esto son de mayor importancia para las entrevistas basadas en competencias. Simplemente no puede hacer comentarios vagos como "Considero que tengo muy buenas habilidades comunicativas", para responder a la pregunta "Ofrezca un ejemplo de cómo ha aprovechado sus habilidades comunicativas". A continuación, algunos ejemplos de preguntas basadas en competencias.

**Ejemplo efectivo**

Empiece considerando esta pregunta muestra y el modelo de respuesta. Ambas son seguidas por un breve análisis de lo que hace a esa respuesta ser un éxito.

**P** Platíqueme cómo lidia con los momentos más ocupados de su trabajo y ofrezca un ejemplo.

(Su habilidad organizativa está siendo verificada.)

**R** Cada año, la pequeña empresa para la que trabajo realiza una ceremonia de reconocimientos para el sector en el cuidado de la salud. Parte de mi papel es ser el coordinador general de esto. Tengo que reservar el lugar, organizar las entradas y acomodar al jurado antes de la noche de ceremonias. También organizo todo el lado práctico: lugar, conferencistas posteriores a la cena, servicios de restauración, etc. Hay 20 reconocimientos, por lo que resulta bastante frenético. Siempre me baso en una lista de verificación cuando estoy planeando mi tiempo y reservo algo para las dificultades de último minuto, porque siempre quedan algunas fuera de nuestro control. Permito que los colegas sepan con mucha anticipación lo que necesito de ellos, para que no se encuentren bajo una presión irracional. En cada ocasión, procuro aprender algo de forma que las cosas tomen menos tiempo para el año siguiente, aunque disfruto la algarabía durante este periodo del año. Estoy seguro de que podría ofrecer mi experiencia para las exhibiciones de ventas.

**Por qué funciona esta respuesta:**

- Ofrece un muy claro ejemplo con una pieza de trabajo que exige grandes habilidades organizacionales.
- Divide la respuesta en algunas de esas tareas individuales, por ejemplo, organización, alimentación, juzgado, etc., en lugar de confiar en un vago "Hay mucho que organizar".
- Demuestra lo que lleva a cabo para estar bien organizado: utilizar listas, planear con anticipación e informar a los colegas.
- Aclara que disfruta estar realmente ocupado.
- Termina con una positiva asociación entre lo que ha hecho y lo que podría hacer en su nuevo empleo.

Procure analizar algunas de las siguientes respuestas en este capítulo para observar por qué funcionan. Puede aprovechar la misma técnica cuando esté elaborando su propio modelo de respuestas.

**P** ¿Cuántas horas espera laborar a la semana para terminar con el trabajo?

(Aquí está siendo verificada su administración del tiempo.)

**R** Siempre planeo y acomodo el trabajo tanto como puedo, por lo que debo ser capaz de completar tantas actividades como me sea posible durante una jornada normal de labores, asegurándome de cumplir cualquier objetivo o plazo de vencimiento que surja. Un tiempo muy ocupado para mí resulta justo antes de que el reporte anual sea impreso, porque debo proporcionar muchas estadísticas que sean recientes y aun pensando con anticipación, inevitablemente hay trabajo de última hora. Estoy preparado para invertir tiempo extra en momentos de ritmo ajetreado, aunque procuro que no se convierta en un hábito de todos los días.

(Vale la pena saber un poco sobre la cultura de trabajo en la organización para la que está aplicando cuando responde a preguntas como ésta. ¿Tienen un carácter distintivo estableciendo que todos los empleados deberán estar fuera de la propiedad a las 17:30 horas, o afirman esperar que regularmente la gente invierta gran cantidad de horas extra? Responderlas ayuda a determinar sus sentimientos respecto a trabajar ahí, no sólo a contestar entrevistas.)

**P** ¿Qué tal llevó la primera semana, la última vez que aceptó un nuevo empleo?

(Se le está preguntando qué tan adaptable verdaderamente es.)

**R** Fue hace cuatro años, pero recuerdo haber disfrutado la primera semana con mi jefe actual, aunque había mucho que aprender y era la compañía más grande para la que había trabajado. Algunas reuniones habían sido preprogramadas para mí, pero antes del fin de semana me di cuenta de que había otras personas con quienes me ayudaría platicar y esto fue bastante fácil de concertar. Adopté la actitud del primer día asumiendo que en lugar de adivinar, por no estar seguro, era mejor preguntar de inmediato cualquier cosa. Me agrada mucho aprender de los demás. Claro que sentí un poco de temor; siempre quieres ofrecer una buena impresión y esto aumenta la presión, aunque generalmente disfruto las situaciones nuevas.

**P** Platíqueme alguna ocasión en la que haya tenido que decir "no" en el trabajo.

("¿Puede adaptar sus habilidades comunicativas para ser positivo?", ése es el mensaje detrás de esta pregunta.)

**R** Muy recientemente tuve que rechazar la asignación de un espacio editorial en una de nuestras revistas para un cliente publicitario. La editorial que habían proporcionado no era de un alto estándar y no me gusta animar a la gente haciéndola pensar que puede obtener espacios gratuitos. Si quieren publicidad, entonces tienen que pagarla, a menos que proporcionen material editorial de muy buena calidad. Mi gerente de publicidad no estaba particularmente contento, pero hablé personalmente con el cliente para explicarle la situación y entendió el punto. Nuestra conversación culminó en términos amistosos y constructivos.

## Recomendación efectiva

La gente con frecuencia confunde asertividad. Significa la capacidad de ser firme, claro y manteniendo un curso de acción sin ser agresivo, intimidante, ni empujado por todos. Es una habilidad clave para muchos roles de trabajo y útil para desarrollar en la vida.

**P** Describa algo novedoso y diferente que haya realizado para su organización.

(Se le está preguntando qué tan creativo realmente es.)

**R** Empecé una serie de pequeñas sesiones de entrenamiento conducidas por diferentes miembros de mi equipo, para que ofrecieran los demás integrantes algunas ideas básicas de cómo trabajaban y cuáles eran sus prioridades. Estas sesiones sólo tomaban media hora y elegíamos los momentos menos ocupados para llevarlas a cabo. Funcionó muy bien; todo el equipo entendió más el trabajo de sus colegas y mejoró la comunicación. También ofreció la oportunidad de realizar una pequeña presentación para algunas personas que jamás habían conducido una sesión.

**P** Dígame cómo hace para resolver un problema. Deme ejemplo de alguno que haya solucionado.

(Aquí están verificando su habilidad para solucionar problemas. Ésta es una muy representativa porque independientemente de su trabajo y sin importar el tipo de organización, es bastante predecible que surjan.)

**R** Primero que nada, trato de analizar las causas que llevaron al surgimiento del problema. Habiendo hecho esto, trato de agruparlas juntas, por ejemplo ¿principalmente son con gente, recursos, falta de información apropiada, etc.? Normalmente durante esta etapa resulta bastante claro dónde descansa la raíz del problema y esto facilita mucho trabajar en una solución que probablemente sea exitosa. Recientemente tuvimos muchos problemas para atender a un nivel realmente satisfactorio todas las solicitudes de nuestros clientes. En un esfuerzo por proporcionar un excelente servicio, nos habíamos movido hacia la reservación de espacios de tiempo verdaderamente precisos; en retrospectiva, probablemente los habíamos hecho muy cortos. Trabajamos con nuestro equipo de servicio personal de reservaciones y clientes, para generar algo más flexible. Involucraba observar el problema desde dos perspectivas muy diferentes.

**P** Describa una contribución especial que haya hecho a su jefe.

(La pregunta está diseñada para conocer sus contribuciones con algún equipo.)

**R** Durante los últimos dos años he coordinado nuestro programa de experiencia laboral. Es un programa para que los pasantes se incorporen cuatro semanas con nosotros en las vacaciones de verano, obteniendo una estructurada experiencia laboral con varios de nuestros departamentos. A la mayoría de la gente le agrada ayudar con esto, pero con frecuencia resulta difícil encontrar a un voluntario para encargarse de todo, porque toma bastante tiempo por encima de tu carga normal de trabajo. Creo que es una manera realmente valiosa de construir conexiones entre los estudiantes y nosotros, y a pesar de que en ocasiones me altera, sé que mi trabajo es apreciado por la firma y por los estudiantes.

**P** Describa una situación donde crea que sus colegas/compañía/departamento realmente confiaron en usted.

(Aquí están siendo evaluadas sus habilidades de trabajo en equipo.)

**R** Normalmente se me llama cuando existe alguna confrontación con un cliente. Tengo la reputación de ser tranquilo y honesto con la gente: si hay una situación donde estemos fallando, doy seguimiento e intento corregir las cosas. Si el cliente está siendo irracional, generalmente lo puedo convencer sin necesidad de que la situación se vuelva más irritante.

## ✦ Recomendación efectiva

Conforme lea las preguntas de este capítulo, podría no estar de acuerdo con algunas de las competencias mencionadas, tal vez pensando que igualmente bien podrían estar ahí para evaluar otras habilidades. Confíe en usted, está en lo correcto: hay una gran cantidad de interferencia entre comunicación, trabajo en equipo y construcción de relaciones, así como entre solución de problemas, creatividad e innovación. No ocupe tiempo de la verdadera entrevista preocupándose por la competencia que está siendo evaluada. El entrevistador podría aclarar esto, si no entonces sus respuestas, de haber planeado sus ejemplos cuidadosamente, deberán tender al material correcto. Es tan difícil encontrar una respuesta que se adhiera estrictamente a una sola competencia, como es hacerlo con una pregunta.

**P** Describa el nivel de estrés en su trabajo actual y lo que hace para manejarlo.

(Aquí está bajo escrutinio su habilidad de autogestión.)

**R** Actualmente me encuentro trabajando con un nivel muy alto de estrés, simplemente porque hay nuevas regulaciones entrando en vigor que afectan mi industria. En muy poco tiempo he tenido que prever un gran número de evaluaciones de riesgo y otros nuevos procedimientos, debiendo ser capaz de mostrar a los asesores externos que se encuentran en su lugar. En términos de administración del estrés, al menos existía la ventaja de haber sabido que venían estas modificaciones, por lo que ya tenía considerado un plan básico. Involucré a los colegas desde un principio y tomé la decisión de realizar minuciosamente una actividad a la vez, en lugar de darle vueltas intentando hacer un poco de todo al mismo tiempo. Ciertamente me siento muy ocupado, pero estoy bajo control.

 **Recomendación efectiva**

Puede ofrecer una gran impresión con la combinación de ejemplos que seleccionó para ilustrar su competencia. No importa si se trata de sus antecedentes escolares, universitarios, laborales o de cuál era en realidad la situación de trabajo. Lo que resulta siempre más importante es la manera de enfrentarlo, cuál fue su contribución haciendo algo bien, los pasos que dio para mejorar una mala situación, etc. No olvide, sin embargo, que su pasado reciente es mejor que su antigua historia.

**P** ¿Cuál considera que es la diferencia entre un gerente y un líder? Coménteme de alguna ocasión en la que haya tenido que aplicar sus habilidades administrativas y de liderazgo.

**R** Pienso que en mi posición actual he tenido que representar a ambos en cierta medida. Supongo que veo la administración más como la organización del trabajo y el control de recursos, mientras que el liderazgo se trata más de surgir con ideas y sobre todo ser capaz de llevar a la gente contigo, ya sea motivando al equipo para enfrentar algo nuevo, o para mantener en marcha el compromiso y la moral en momentos difíciles. Considero importante ser capaz de terminar las cosas y de tener ideas innovadoras. Recientemente tuvimos una fusión entre dos departamentos y debí gestionar el amalgamiento de dos sistemas distintos de administración. Creo que mi liderazgo surgió cuando tuve que asegurarme de que los nuevos miembros del equipo se sintieran involucrados y valorados en el combinado departamento.

**P** Señale una situación en la que tuvo que tomar una decisión que haya requerido pensarse cuidadosamente. ¿Cómo le fue al respecto?

(Aquí están poniendo a prueba sus habilidades de pensamiento y toma de decisiones.)

**R** Muy recientemente tuvimos que decidir si externalizar con una consultoría todo nuestro trabajo de relaciones públicas, pues durante muchos años lo hemos estado haciendo internamente. Aunque no era el único implicado en las discusiones, mi papel como cabeza de mercadotecnia significaba que al final yo tenía la última palabra. Mi decisión estaba basada en pláticas con los colegas, exploración de las implicaciones financieras y discusiones con los consultores que podrían continuar el trabajo. Finalmente decidimos continuar como estábamos; parte de esta decisión se basó tanto en la intuición como la investigación.

(Claramente, ésta es la respuesta de algún directivo ya establecido en su carrera. Durante los inicios de la suya, una discreta y diferente clase de decisión podría proporcionar una respuesta como sigue.)

**R** Una decisión complicada que tuve que tomar fue si tratar de diferir una oferta de trabajo que recibí justo antes de graduarme, para poder irme de viaje durante seis meses. Lo sentía riesgoso: si el jefe decía que "no", podía enfrentar la decepción de no viajar, pero me preocupaba que pudieran pensar que carecía de compromiso. Instintivamente sentí que podía ser abierto con el directivo que me entrevistó, aunque todavía me preocupaba. Hablé con amigos, mi tutor personal y mi consejero profesional. Al final decidí que la honestidad era la mejor política y que podía asegurar genuinamente a la compañía que de negarse, no albergaría ningún sentimiento negativo. Resultó que me querían empezando a trabajar de inmediato y me pareció que estaba bien.

**P** Describa una situación estresante con la que haya tenido que lidiar.

**R** Muy recientemente un grupo de visitantes de otro continente tenía una reservación para recorrer mi departamento, pero la oficina internacional había olvidado hacerlo saber a cualquiera de nosotros. Estaba a la mitad de una encuesta cuando apareció el grupo esperando el recorrido y mucha información que les fuera útil. Me sentí estresado porque no estaba preparado y me molestaba la ineficiencia de otras personas. Debí tomarlo con calma, colocar a alguien para que se encargara de lo que yo estaba haciendo y llevar a cabo el recorrido y la presentación. De hecho salió muy bien; probablemente la adrenalina ayudó. La gente realizó muchas preguntas y al final yo estaba bastante inspirado.

> **Pesadilla a evitar**
>
> No utilice la entrevista para poner a prueba la capacidad para administrar el estrés de su entrevistador. En alguna ocasión, la bolsa de una candidata empezó a hacer un extraño arrullo que sonaba diferente incluso al más actualizado de los tonos para el teléfono celular. Los entrevistadores lo ignoraron hasta que la bolsa comenzó a agitarse y a susurrar, pero la candidata actuaba como si no pasara nada. Finalmente supieron que de camino la candidata había decidido rescatar a un pájaro herido y, sin tiempo para hacer algo más, simplemente lo metió en su bolsa. Desafortunadamente uno de los miembros en el panel entrevistador padecía de fobia a las aves.

**P** Platíqueme de alguna vez que cambió sus prioridades para cumplir con la expectativa de los demás.

(Quieren saber si puede ser flexible.)

**R** Siempre resulta difícil proporcionar todo el entrenamiento que se desearía para el personal, y además respetar las restricciones financieras y de tiempo, y como estábamos a punto de comenzar una restructuración, insistía mucho en tener un curso de algún tipo para todos los involucrados. Había tanta incertidumbre alrededor que muchos colegas querían una sesión sobre administración del cambio. Me preocupaba que terminara siendo una sesión más bien vaga donde no se pudiera lograr mucho. Decidí, con base en un fuerte presentimiento, que en esta ocasión debía dejar de lado lo que hubiera sido mi primera elección. De hecho, al final conseguimos a un entrenador muy bueno y el curso de cambio llevó a un trabajo muy constructivo con los roles de equipo.

**P** Platíqueme de alguna ocasión en la haya ocupado un acercamiento creativo para solucionar un problema o mejorar una situación.

(Quieren saber si es un pensador creativo.)

**R** Acepté un empleo en servicios al cliente poco después de graduarme. La mayor parte del trabajo era lidiando con consultas telefónicas. Como teníamos muchos tipos de clientes diferentes y de distintas clases de compañías, vendiendo productos diversos, etc., todos tratábamos con cualquier tipo de consulta y no creo haber sido el único que lo encontró complicado. Sugerí a mi gerente de línea que podíamos dividirnos en grupos de trabajo, lidiando con tipos de consulta específica para ofrecer un servicio más detallado. Pensé que podría estar hablando fuera de tiempo porque era relativamente nuevo, pero intenté ser diplomático y entusiasta, y de hecho lo tomaron en cuenta.

**Recomendación efectiva**

No ofrecerá una gran impresión complaciendo con clichés. Mantenga sus respuestas libres de un "pensamiento color de rosa", de estar laborando "fuera de la caja" o de ser como bolsita de té, "más efectiva cuando está en agua hirviendo". Para hacer uso de otro cliché, este tipo de cosa no rompe el hielo con la mayoría de los entrevistadores. Los ejemplos claros y vivientes producen mucho mejores efectos.

**P** Describa una mejora que inició personalmente.

(Quieren saber si es un buen solucionador de problemas.)

**R** Cuando fui técnico superior de laboratorio en la escuela de ciencias médicas, organicé un sistema para mejorar la cantidad de tiempo que estaban en uso piezas caras del equipo. Alenté un sistema de reservaciones más formal. Al principio algunos profesores y estudiantes de investigación estaban preocupados al respecto, pero de hecho, tras un breve periodo de establecimiento, el equipo estaba en uso 30 % más de tiempo y todos acordaron que el sistema fue un gran éxito.

**P** Describa una situación laboral en la que haya tenido que lidiar con algo usted solo.

**R** Muy recientemente arreglé con otro colega llevar a cabo un evento de entrenamiento para el personal de otras secciones. Reunimos parte del material y reservamos la sesión. Desafortunadamente, mi colega debió partir de inmediato y tuve que conducir la sesión yo solo, y realizar bastante de la planeación final. Me agrada trabajar con equipos, pero me encontré con la necesidad de tomar decisiones de última hora sobre cómo variar mi estilo para no aburrirlos de un solo presentador. El día salió muy bien.

**P** **¿Cuál es el proyecto en equipo más emocionante con el que haya estado involucrado?**

**R** El año pasado fui parte de un equipo que desarrollaba algunos centros de atención para el cuidado de la salud. Lo que lo hizo muy agradable fue trabajar con gente de diferentes ámbitos profesionales (encontrar nuevas perspectivas en las que uno pudo no haber pensado fue realmente valioso). Tenía una responsabilidad particular por el enlace con las comunidades locales y la retroalimentación con el grupo.

**P** **¿Prefiere trabajar por su cuenta o como parte de un equipo?**

(La mayoría de las veces aquí están evaluando su habilidad para trabajar en equipo. Los equipos disfuncionales pueden causar verdaderos problemas para los jefes.)

**R** En realidad, prefiero trabajar como parte de un equipo donde la aportación de cada quien pueda contribuir al proyecto o a la decisión. Desde la universidad, siempre he disfrutado trabajar en proyectos de grupo; sin embargo, de tener que trabajar por mi cuenta, estoy muy dispuesto a ello, no necesito consejo ni alivio·constante de los demás sobre lo que estoy haciendo.

(Como con cualquier pregunta, necesita considerar el empleo para el que está aplicando antes de contestar. La respuesta anterior es ideal cuando sabe que el trabajo en equipo es uno de los criterios de selección y está consciente de que laborar con otras personas es parte integral del trabajo. Sin embargo, si está aplicando para algo donde tendrá que trabajar solo por largos periodos, entonces enmarcaría la respuesta al revés, enfatizando lo cómodo y cubierto que se encuentra trabajando por su cuenta. Luego, cuando surja la oportunidad, continúa con un comentario sobre el gusto que le da trabajar con los demás.)

**P** Describa una ocasión en la que haya fracasado para lograr una meta que se había propuesto.

(Aquí se está evaluando su administración personal.)

**R** Cuando salí de la universidad decidí realizar simultáneamente una especialización de medio tiempo e iniciar con mi primer empleo. En su momento, encontré que había bastante que aprender con mi primera compañía y el entrenamiento era intensivo. Al final, debí abandonar el programa de especialización durante uno o dos años. Como sea, no importaba porque no era necesario para mi trabajo, aunque al principio me sentí decepcionado. Habiendo realizado el curso poco después, de alguna manera resultó más fácil, ya que tenía mucha mayor experiencia real que respaldaba lo que había estudiado.

**P** Describa una situación donde haya tenido que influir en distintos grupos de personas con perspectivas diferentes.

**R** En un empleo anterior, estuve involucrado en la organización de un festival artístico de la comunidad –nuestra ciudad nunca había tenido uno. En reuniones públicas acerca del evento propuesto, había gente muy entusiasta– comerciantes locales y grupos de arte voluntarios, por ejemplo. También había varios residentes locales convencidos de que causaría bastante ruido, desorden y mucho tráfico en la zona, así como gente con la que generalmente se contaba pero que estaba preocupada por las implicaciones financieras. Era un desafío lidiar con todos estos asuntos en dicha reunión. Mi táctica principal radicaba en anticipar cuáles serían la mayoría de los asuntos antes de la reunión y contar con mucha información real sobre eventos similares en otros lugares. También me aseguré de escuchar las preocupaciones de cada quien y responderlas tan honestamente como podía, de manera que al menos la gente sintiera que sus puntos de vista estaban siendo ventilados. Finalmente, el festival salió muy bien y se convirtió en un evento bienal. Veo que este puesto tiene bastante relación de trabajo con diferentes grupos interesados, por lo que bien podría poner algo de esta experiencia para su buen uso aquí.

## 🔆 Recomendación efectiva

Un inconveniente potencial de las preguntas basadas en competencias es que se enfocan en el pasado y no cuestionan "¿Cómo contribuirías?". Para combatir esto, tome las oportunidades cada vez que pueda. La respuesta a la pregunta anterior y el primer modelo de respuesta al principio de este capítulo son ejemplos de ello. Adoptar esta táctica es un riesgo alto porque sale de la estricta remisión de la pregunta, pero para los entrevistadores que tratan de elegir entre candidatos que ofrecen respuestas similares, puede dar resultados.

**P** ¿Alguna vez ha tenido que trabajar con un gerente con el que simplemente no podía hacer química? De ser así, ¿por qué y cómo lidió con eso?

(Quieren saber si posee buenas habilidades para la construcción de relaciones.)

**R** Ha habido un solo gerente con el que encontraba realmente difícil hacer química. Su predecesor había sido alguien maravilloso con y para quien trabajar. Tenía bastante autonomía y sentía que podía hacer sugerencias y tomar dirección de ser necesario. Encima de todo, sentía que confiaba en mí y eso me motivaba. Considero que también estaba haciendo un buen trabajo. Su remplazo quería controlar todo, literalmente, hasta el número de clips que podíamos ordenar para el departamento, y los asuntos menores corrían el riesgo de convertirse en una confrontación. Mi estrategia era asegurarme de discutir con él cada asunto de importancia cuando ocurría y esperar que mi franca aproximación gradualmente fuese recompensada. Era una situación cuesta arriba y aunque indudablemente mejoró entre nosotros, me dio gusto cuando partió. Aparte de eso, siempre he tenido excelentes relaciones con mis gerentes.

**P** Dígame de alguna situación donde se haya encontrado en conflicto con un colega.

**R** Estuve profundamente en desacuerdo con un colega respecto a utilizar consultoría externa o tomar una nueva iniciativa de mercadotecnia entre nosotros. Ambos nos sentíamos seguros y estábamos al mismo nivel. En esa ocasión su argumento ganó, pero resultamos muy decepcionados con el consultor.

**P** Describa una situación donde haya tenido que negociar algo que consideraba importante.

**R** Durante una época de recortes financieros, ya no éramos capaces de reclutar personal automáticamente para remplazar los puestos cuando se iban los empleados. Significaba que para cubrir un puesto, todos los gerentes departamentales debían canalizar, con la junta directiva, cada caso en particular. Había que empezar con una solicitud por escrito, acompañada con una explicación muy bien justificada de por qué debería ser autorizado para reclutar. Ciertamente me sentí muy motivado para negociar tanto como pudiera y, en general, durante los 18 meses que estuvo vigente esta política, logré una tasa de éxito bastante alta.

## Pesadilla a evitar

Un entrevistador trataba de comprobar con exactitud las habilidades de negociación y persuasión que poseía un candidato en particular. Este último realizó un agresivo y esforzado intento para venderle, al primero, un plan de pensión y seguro de vida. Después de la entrevista se supo que había estado tratando de hacer lo mismo con los demás candidatos y el personal en la oficina. Sí, poner una habilidad en acción puede ser útil, pero sobre todo es probable que resulte contraproducente. Ese candidato en particular no estaba aplicando por una posición para vender algún producto financiero y fue rechazado. Esta clase de verdadera demostración de sus talentos es mejor evitarla.

**P** Platíqueme de alguna ocasión donde haya tenido que asumir el papel de líder.

(Aquí el liderazgo es una competencia que está siendo evaluada.)

**R** En la universidad realizamos un proyecto conjunto –éramos seis de nosotros en el grupo– y teníamos que generar un reporte basado en las entrevistas que sostuvimos con gerentes intermedios trabajando en TIC para varios sectores de empleo diferentes, incluyendo salud, educación, tiempo libre, leyes y gobierno local. Como líder, tenía que asegurarme de que a cada quien se le asignara un número razonable de entrevistas y dar seguimiento, cerciorándome de que fueran llevadas a cabo. Empezamos trabajando en equipo para generar ideas, pero en realidad dependía de mí verificar que todo estuviera en su lugar. Encontré que gran parte de mi trabajo radicaba en animar a la gente a sentirse segura para acercarse a las organizaciones y encontrar candidatos potenciales.

**P** **Cuando sale de vacaciones, ¿qué clase de planes hace, o prefiere ser espontáneo?**

(Quieren saber acerca de sus habilidades de planeación.)

**R** Normalmente mezclo algo de espontaneidad con un cierto nivel de planeación. Estoy bien preparado para reservar algo de improviso y permanecer flexible respecto a dónde ir, pero después de eso comienzo a planear con más detalle. Me gusta investigar sobre los lugares a donde voy, identificar los puntos de interés, conocer el sistema de transporte, etc., de esta manera puedo reservar en eventos y atracciones que de antemano sé que resultarán concurridos, asegurando no perdérmelos. Aunque hay tanto que ahora se puede realizar anticipadamente por internet, sigo preparado para usar un libro; sin embargo, no me gusta planear hasta el último detalle, es bueno dejar algún espacio simplemente para consentirse.

### Recomendación efectiva

Este último es un gran ejemplo de pregunta capciosa, pues incluye dos opciones: sus habilidades de planeación y espontaneidad. Es probable que el patrón promedio se incline más por las primeras que por las segundas. Si es espontáneo con sus vacaciones, sea honesto al respecto y, en todo caso, añada que con el trabajo adopta una aproximación distinta.

**P** **Coménteme algo que haya aprendido y aplicado recientemente.**

(Quieren saber cómo adquiere y aplica sus conocimientos y especialidades.)

**R** Ciertamente, durante los últimos dos años he aprendido más y más sobre el valor de los elogios y el estímulo hacia la gente que trabaja para mí. Supongo que esto lo he sabido siempre a un nivel intuitivo, pero un curso en motivación de personal al que acudí realmente lo resaltó, y he realizado un esfuerzo más consciente para incluirlo en mis asuntos con la gente. Además de parecer que el personal lo aprecia y está más motivado, facilita la crítica o el cuestionamiento cuando resulta necesario o apropiado. La gente está mucho más dispuesta a continuar con esto si en lugar de sentirse forzada, se siente valorada.

(Ésta es una buena respuesta para alguien con experiencia y responsabilidad. Anteriormente, en su carrera, podría tener una respuesta muy diferente. Cualquier ejemplo que utilice, trate de convertirlo en algo que tenga un efecto duradero y del que pueda explicar cómo le ha ayudado, en lugar de algo factual como haber aprendido un sistema de cómputo o un paquete de contabilidad.)

**R** Durante algunos meses en mi primer empleo y hace como un semestre, acudí a un curso de atención al cliente. Estaba un poco negativo al respecto porque me encontraba ocupado y pensaba que iba a estar lleno de obvios clichés. No obstante, realizar varios ejercicios con roles fue muy útil, desafiante y en ocasiones sumamente entretenido. Hay aspectos de ese curso, como procurar solucionar un problema, donde fuese posible, y hablar con alguien de mayor jerarquía que yo para luego regresar al cliente, en lugar de simplemente pasárselo de inmediato, que han sido de gran utilidad. Esto ha aumentado mi confianza, tengo un mejor vínculo con los clientes y sé que mi gerente está contento con el cambio.

**P** Platíqueme de alguna ocasión en la que tuvo una idea nueva para resolver un problema de largo plazo.

(Incluir la palabra *nuevo* significa que quieren saber si es innovador.)

**R** Atravesamos una fase en la que con frecuencia nos encontrábamos reclutando graduados para empleos administrativos que no requerían de ellos específicamente, pero a menudo donde aplicaban les iba muy bien en las entrevistas y generalmente eran muy buenos con el trabajo. Así como en la administración básica, estaban involucrados en algunas investigaciones de información y comúnmente eran requeridos para responder preguntas de clientes y miembros del público, pero el único inconveniente era que no existía una verdadera ruta profesional y con frecuencia se iban, al tiempo que, desde nuestro punto de vista, considerábamos que en realidad eran exitosos. Sugerí que a pesar de tener un equipo de sólo seis personas en la sección de informática, no había razón por la cual no pudiera haber dos puestos de asistencia para esa dirección. Esto significaba un escalón que la gente podía ascender en su carrera profesional, además de ofrecerles algo de experiencia en administración y supervisión. Definitivamente mejoró nuestra tasa de retención de graduados.

(Podría plantear la siguiente respuesta.)

**P** Entonces, ¿por qué no sólo dejó de reclutar graduados?

**R** Como mencioné, generalmente eran bastante buenos en el trabajo, aunque también contábamos con algunos asistentes informativos realmente excelentes que no eran graduados. No queríamos limitar nuestras opciones en ese sentido; conseguir buen personal, cualesquiera que fuesen sus cualidades, era muy importante para nosotros.

**P** Cuénteme sobre una situación donde debió actuar con tacto.

(Éste es uno de los muchos aspectos en las habilidades de comunicación que a menudo resulta evaluado.)

**R** Cuando trabajaba para una tienda medianamente de moda, una clienta devolvió una falda porque decía haber detectado una ligera mancha en el dobladillo, que no había visto al comprarla. La mancha era muy pequeña y yo estaba bastante convencido de que había usado la falda, probablemente derramando algo sobre ella; sin embargo, también era posible que estuviera diciendo la verdad, por lo que en esa ocasión decidí otorgarle el beneficio de la duda. A pesar de que estábamos muy ocupados, tenía el tiempo para lidiar con ello y no deseaba que nuevos clientes potenciales se llevaran una mala impresión del lugar. Además de que en absoluto hubiera resultado diplomático decir que sencillamente no le creía.

**P** Deme un ejemplo de su persistencia.

**R** En una de las organizaciones de reclutamiento para las que trabajé, teníamos listas de espera muy largas con gente que quería reservar una entrevista con nosotros. Me preocupaba que en ocasiones estuviéramos perdiendo clientes potenciales porque debían esperar. Sugerí que comenzáramos un sistema de entrevistas realmente breves, en particular a primera hora de la mañana, a la hora de la comida y al final del día, de manera que la gente podía visitarnos para una charla de cinco a diez minutos y luego reservar algo más a fondo. Los colegas estaban verdaderamente preocupados al principio, pensaron que terminaría causando más problemas de los que resolvía, haciéndolos sentir apresurados y estresados. Compartimos estas breves sesiones y funcionaron muy bien. Los clientes al menos podían partir con algo en qué pensar o trabajar, incluso si debían esperar. Tuve que trabajar realmente duro para convencer a la gente de intentarlo; tomó varias reuniones, mucho estímulo y una preparación de mi parte para llevar a cabo la primera sesión.

**P** ¿Qué dirían los colegas acerca de su atención al detalle?

(Aquí se está evaluando su administración personal.)

**R** Pienso que dirían que es una de mis fortalezas y algo que uno o dos de ellos a veces encuentra bastante irritante. Cuando he realizado alguno de esos cuestionarios sobre estilos de administración, siempre resulto como "completador/terminador" muy cerca del máximo, aunque "formador" y "persona de ideas". Cuando era estudiante realicé trabajos de captura y consulta estadística, por lo que debía ser sumamente cuidadoso para que todo estuviera correcto. Pienso que la impresión del trabajo terminado ha afectado mi aproximación a lo que algunas personas podrían considerar como una rutina aburrida.

Muchas organizaciones que utilizan este método de selección también incorporarán este foco sobre las competencias en su manera de evaluar referencias. Los formatos que envían a las personas que señaló como referencias personales, a menudo listan las competencias que son importantes para el empleo al que está aplicando, de manera que éstos pueden evaluarlo en cada una de ellas. Si está en buenos términos con su referencia –y presumiblemente no solicitará recomendación con nadie a quien le cae mal–, entonces vale la pena invertir un poco de tiempo con ellos y discutir las habilidades que les han solicitado evaluar. A veces sólo tienen que marcar casillas y esto limita la amplitud de los comentarios, pero en ocasiones se les solicitará ofrecer ejemplos.

No se sienta intimidado por este tipo de entrevista, está diseñada para ser bastante justa y, como candidato, también puede resultar más sencillo de anticipar la clase de preguntas que le van a realizar.

## SUMARIO Y RECORDATORIOS

Asegúrese de hacer brillar sus competencias.

1. Familiarícese con varios ejemplos de su pasado reciente que puedan demostrar sus competencias.
2. Recuerde cuáles son los tipos de competencias para este trabajo en particular; incluso de no tener una lista de ellas, usted mismo debería ser capaz de deducirlas.
3. Mantenga sus ejemplos personales y relevantes.
4. Procure relacionar el empleo para el que está aplicando, así como subrayar las cosas que ya ha realizado.
5. No divague. Estas entrevistas en particular procuran abarcar mucho, así que no tiene tiempo para desperdiciar.

# Capítulo 9

## Su talón de Aquiles

Lidiando con dificultades;
sus puntos débiles y su percepción

Este capítulo le muestra cómo manejar cualquier punto débil y asunto curioso en la historia de su carrera, así como preguntas incómodas, pausas vergonzosas y entrevistadores maliciosos. A menos que sea una de esas personas tan molestas para el resto de nosotros, que ha llevado una vida encantadora, cuyas decisiones han resultado bien y con la fortuna siempre sonriéndole, es probable que tenga aspectos de su pasado (sean bajos resultados en exámenes, un periodo de desempleo, una irregular historia laboral, un pobre registro de salud, etc.) sobre los que no quiere ser cuestionado en las entrevistas de trabajo. No obstante, sabe que al ser estos asuntos parte de su historia, es probable que surjan de su CV, formato de aplicación o referencias personales y laborales, y posiblemente capte la curiosidad de algún futuro jefe. Los entrevistadores quieren una explicación de los resultados o circunstancias que parecen contradecir otras evidencias de su carácter e historia, y los dejan preguntándose "¿Por qué?".

### Recomendación efectiva

Recuerde que ha sido convocado para una entrevista. No sólo está ahí para cumplir con las invitaciones, así que cualquier inconveniente que suponga tener, debió gustarles lo que han visto en el papel.

Antes de preparar las respuestas a cualquier pregunta capciosa que pudiera ser aplicable para usted, debe recordar que los entrevistadores cuestionan estas cosas porque genuinamente desean saberlas. Quieren comprobar si algún punto débil fue una falla temporal o refleja un problema más profundo. Hay una posible segunda razón por la que podría ser cuestionado con estos "talones de Aquiles": los entrevistadores saben que es probable que se sienta vulnerable con ellos y quieren observar si reacciona hostil o defensivamente, o si aprovecha la oportunidad para ocupar sus habilidades de comunicación, persuasión, análisis y razonamiento tranquilo para ofrecer explicaciones plausibles y convincentes.

## UN BREVE COMENTARIO SOBRE LA VERDAD

Este libro no promete ofrecer un riguroso análisis del lugar filosófico y moral que la verdad ocupa en la competitiva jungla por la búsqueda de empleo; sin embargo, ofrece consejo y sentido común en el tema si está ocultando algo de su CV y/o durante una entrevista de trabajo no se puede comunicar tan efectivamente o estar tan relajado y natural como le gustaría. Las cosas que ha elegido no decir, los resultados ficticios en sus exámenes, empleos inventados o referencias escritas por su mamá para enriquecer su caso, podrían bien confundirlo. Los jefes casi siempre buscan referencias antes de emplearlo y si debe ocultar la verdad en una entrevista, entonces debe preguntarse cómo va a continuar esto de resultar el candidato exitoso. También recuerde que si un jefe eventualmente descubre que no ha sido honesto con ellos, podría utilizarlo como justificante para eliminación u otros procedimientos disciplinarios.

Este capítulo cubre muchos de los asuntos que angustian a los candidatos y algunas sugerencias para lidiar con ellos.

 **Ejemplo brillante**

Empiece considerando esta pregunta muestra y el modelo de respuesta. Ambas son seguidas por un breve análisis de lo que hace a esa respuesta ser un éxito.

**P** ¿Tiene títulos académicos?

(De ser así, entonces esta pregunta no le hará sentir vulnerable; si no, entonces querrá ofrecer una respuesta buena, abierta y entusiasta.)

**R** Mi principal fortaleza radica en una práctica y relevante experiencia laboral. He trabajado en el sector hotelero durante siete años y he aprovechado varios cursos internos de entrenamiento. Empecé como recepcionista tan pronto acabé la escuela; estaba impaciente por tener el trabajo y ganar un salario. En mi actual empleo como subdirector, he tenido la experiencia de lidiar con todo tipo de asuntos, tanto por el lado del cliente como de recursos humanos. Ciertamente me daría gusto desarrollar una cualidad relevante de presentarse la oportunidad; pienso que podría ayudarme en el futuro y siempre es útil aprovechar una oportunidad para retroceder y observar lo que está llevando a cabo. Hasta ahora no siento que la falta de acreditación en papel me haya detenido.

**Por qué funciona esta respuesta:**

- No evita el hecho de que no tenga cualidades formales e impide salir con un hosco y lúgubre "no".
- Rápidamente demuestra un compromiso con el entrenamiento.
- Enfatiza el progreso ascendente en la escalera profesional.
- Asume un poco de impaciencia y la posibilidad de alguna decisión equivocada en el pasado.
- Asegura que esta decisión no ha tenido consecuencias terribles.
- Expresa una actitud positiva hacia la educación y el aprendizaje futuro.

---

Procure analizar algunas de las siguientes respuestas en este capítulo para observar por qué funcionan. Puede aprovechar la misma técnica cuando esté elaborando su propio modelo de respuestas.

**P** Veo que tiene muy buenos resultados GCSE y sin embargo los de nivel A son pobres. ¿Qué sucedió?

**R** No estaba seguro de querer permanecer en la escuela y cursar niveles A; era algo en lo que me insistieron mis padres, pero mi corazón realmente no estaba convencido. Me había interesado demasiado en otras cosas y simplemente no invertí el esfuerzo que debía.

(Una posible pregunta de seguimiento que podría fácilmente provocar una respuesta defensiva, pudiera ser la siguiente.)

**P** ¿Puedo entender entonces que si algo no le gusta deja de esforzarse en ello? ¿Qué tal si le ofrecemos un empleo y descubre que hay partes que no le agradan?

**R** He tenido un buen registro laboral durante los últimos tres años desde que dejé la escuela y en ese tiempo no he tenido dificultad para manejar la rutina y las tareas repetitivas. He crecido mucho desde que tenía 17 años y parece que aprendo mejor trabajando que en un ambiente académico. No obstante, estoy realizando un curso nocturno para el diseño de sitios web y en realidad me agrada.

**P** Parece existir un espacio de ocho meses en su CV. ¿Dónde estuvo durante ese tiempo?

**R** Estuve en trabajos temporales los últimos dos años y en verdad deseaba algo con un mayor sentido de dirección. En retrospectiva, hubiera sido mejor esperar hasta contar con algo permanente antes de soltar el trabajo temporal, pero realmente quería concentrarme en mi búsqueda de empleo y concentrarme en ella al cien por ciento. No esperaba que el mercado laboral se desplomara tanto en ese momento. Me puse manos a la obra realizando un breve curso intensivo en habilidades secretariales y me sentí muy satisfecho de regresar al ambiente laboral.

**P** Sólo tiene un grado de tercera clase. En realidad buscamos a alguien con un buen grado honorífico. ¿Por qué deberíamos considerarlo?

(Recuerde, sin importar lo que digan, que ellos lo han elegido para entrevistarlo.)

**R** Desde luego que me sentí decepcionado, había esperado el segundo ciclo y mi resultado de los primeros dos años indicaba que lo lograría. Durante el último año tuve muchos problemas personales que ya fueron resueltos y quedaron atrás, pero que entonces afectaron mi desempeño. Mis resultados individuales y de proyecto en grupo eran buenos y considero que desarrollaron las habilidades de comunicación, administración del tiempo y consulta de información que necesito para este puesto en particular, por lo que sé que resulto confiable con habilidades laborales útiles y relevantes.

**P** A partir de su CV parece que estuvo seis años fuera del mercado laboral. ¿Cómo piensa encajar y enfrentar la rutina y las exigencias del trabajo?

(Los candidatos no deberían percibir esto como un área negativa en su pasado, aunque a veces se puede sentir de esa manera.)

**R** Así es, tomé un descanso del trabajo pagado para tener a mis hijos y verlos establecidos en la escuela. No he tenido un empleo remunerado durante los últimos años, pero de hecho he estado trabajando muy duro. Educar a una familia ha demostrado que puedo lidiar con lo inesperado así como con la rutina, y a menudo trabajo una jornada más larga que cuando tenía un empleo en el que me pagaban. Además de que ciertamente no he olvidado todas las habilidades que utilizaba en la oficina de dibujo. Me mantengo actualizada con la prensa comercial relevante y, más significativamente, realizando trabajos de dibujo para amigos.

## 🏅 Recomendación efectiva

Seleccione palabras positivas tales como *útil, considerable, extenso* y *relevante.*
Evite palabras negativas y frases tales como *sólo, un poco, limitado* o *no mucho* cuando describa actividades y experiencia.

**P** Parece haber realizado una amplia gama de labores que no empatan con sus cualidades: no son empleos para "titulados".

**R** Conseguir algún tipo de empleo era más importante para mí que cualquier otra cosa. De hecho, aprendí mucho sobre mí y de cuánto disfruto impartir información a la gente. También descubrí algunas lagunas en mi conocimiento y experiencia, especialmente trabajando bajo presión; no hay empleo que haya tenido que no me haya enseñado algo, incluso aunque sólo sea para nunca volver a realizar ese tipo de trabajo otra vez.

**P** Veo que resultó desempleado por su último jefe hace nueve meses. ¿Cómo ha enfrentado esto?

**R** No fue una completa sorpresa, porque la compañía había estado en dificultades financieras por algún tiempo y muchos de nosotros estábamos conscientes de que nuestros empleos podrían estar bajo amenaza; sin embargo, fue un *shock* y muy duro al principio. Siempre he sido alguien con una actitud optimista, pero este campo es competitivo. Poco después de perder mi último empleo, me enlisté en un curso de TI para obtener algunas nuevas habilidades de diseño y también he estado realizando algunos trabajos voluntarios para la escuela secundaria local, apoyando con lecciones en habilidades de cómputo. Mis habilidades con CAD en realidad se han desarrollado significativamente desde que salí de mi última compañía y estoy impaciente por regresar a trabajar de tiempo completo.

**P** ¿No creerá haber perdido algo de talento y haberse desencarrilado de la rutina de trabajo durante ese periodo?

(Ésta es una pregunta de seguimiento relativamente hosca.)

**R** Todo lo contrario. He aprovechado mi tiempo constructivamente aumentando mis habilidades, pero realmente me agrada el trabajo. Considero que mi nivel de energía y entusiasmo están en su mejor forma y pretendo mantenerlos de esa manera.

**P** Noté que quedó desempleado después de sólo ocho meses en su empleo anterior. ¿Por qué cree que ocurrió esto?

**R** Básicamente era una política de "último en entrar, primero en salir" y la empresa cerró por completo seis meses después de que partí. Fue una lástima, habían tenido algunas buenas ideas y nuestro equipo de diseño funcionaba bien. Fue la compañía más pequeña donde he trabajado y obtuve bastante al tener que ser muy flexible.

**P** A partir de su CV parecería como si no tuviera experiencia laboral alguna, otros candidatos que veremos hoy es probable que tengan mucho más.

**R** Pensé en trabajar durante un año antes de entrar a la universidad y pretendía trabajar medio tiempo mientras estudiaba. De hecho mi padre estuvo muy grave durante la mayor parte de mi curso y terminé apoyando en casa, invirtiendo tiempo con él y mi familia. Como pueden ver, mi curso era bastante práctico, obtuve un buen resultado incluso con todo el estrés a mi alrededor. En verdad me considero capaz de realizar este trabajo y realizarlo bien, y ustedes enfatizan sus altos estándares para entrenamiento e inducción.

**R** En realidad fue complicado encontrar el tipo de trabajo que deseaba cuando salí de la escuela. Estaba desesperado por conseguir algo con los medios y fue difícil para mí aceptar que eso simplemente no era posible en ese momento. Realicé algunos trabajos voluntarios para la radio del hospital local y algo de experiencia sin remuneración con dos periódicos locales; supongo que debí mencionarlos en mi CV.

## Recomendación efectiva

Enfatice lo mejor de toda su valiosa experiencia para ofrecer la mejor impresión. Es común para los candidatos a un empleo descartar como irrelevante experiencia útil. El trabajo voluntario, el trabajo de sombra, la experiencia laboral y apoyar el negocio familiar son ejemplos comunes de temas que los candidatos descuidan.

**P** ¿Por qué dejó la universidad antes de completar el plan de estudios?

**R** Era el tema, el momento y el lugar equivocado para mí. Había sido renuente para continuar con mis estudios y temo que los resultados del primer año lo demuestran. El trabajo nocturno que realizaba en el centro deportivo local me parecía bastante más emocionante y el gerente estaba muy satisfecho conmigo. Si regreso a estudiar quiero que sea algo de medio tiempo y más práctico que el curso que había comenzado.

Es difícil como candidato cuando sabe que existen razones extremadamente personales y privadas que en un momento determinado han afectado algún periodo de su vida; pudo haber sido un duelo, una enfermedad seria de algún ser allegado, un rompimiento sentimental o matrimonial, o problemas familiares en una etapa importante de sus estudios. Se encuentra renuente a revelar información que considera personal y privada, que podría molestarle, avergonzar a su entrevistador, y francamente se encuentra más allá del alcance de lo que un prospecto de jefe razonablemente tiene derecho a saber.

En contraposición a ello, está el conocimiento de que los hechos de su circunstancia en particular, en su momento, ofrecieron una explicación legítima y comprensible sobre la interrupción de su trabajo o desempeño académico. Es perfectamente razonable comentar que resultó afectado por complicadas circunstancias personales que preferiría no discutir durante una entrevista, pero si hay algo que no le incomoda platicar, entonces hágalo. Un rompimiento familiar durante sus exámenes o la terminación de un matrimonio al tiempo que aplicó para una promoción, podría ser algo que es mejor revelar y salir del asunto. Hasta el menos entrenado de los entrevistadores no deberá entonces continuar con una serie de preguntas personales e intrusivas. También es útil agregar un comentario sugiriendo que sin importar el problema, ahora está superado y no afecta más su desempeño, después de todo, es lo que realmente desea saber la persona que contempla pagar su salario e invertir en su formación y desarrollo.

**P** A menudo ha cambiado de empleo durante los últimos años. ¿Significa esto que se vuelve inquieto si permanece en cualquier trabajo por un tiempo considerable?

**R** Algunos de mis desplazamientos recientes han sido porque he necesitado reubicarme en diferentes lugares por razones personales. Ahora me encuentro establecido aquí y he comprado una propiedad. De todos los empleos que he tenido en los últimos tres años, realmente he disfrutado mis labores en la compañía financiera. Tengo muy buenas referencias con ellos y el trabajo que realizaba parece muy similar a las responsabilidades y especificaciones de empleo que enlistan en su anuncio.

**R** De cualquier forma, muchos de esos empleos eran temporales y los jefes correspondientes no esperaban que durara mucho tiempo, por ejemplo, cuando estaba cubriendo puestos durante las vacaciones o la Navidad; no quería comprometerme con una carrera hasta sentirme más seguro de la dirección que quería tomar. Sin embargo, el empleo temporal en el departamento de planeación local me ofreció mi primer involucramiento verdadero en las actividades relacionadas con asuntos ambientales y he realizado bastante trabajo voluntario con proyectos para mejoras ambientales urbanas y rurales, por lo que con eso espero demostrar mi entusiasmo y compromiso para hacer una carrera en su organización; se siente como la oportunidad que he estado esperando.

**R** En una situación ideal no hubiera elegido cambiar de empleo con tanta frecuencia, pero de momento ha sido más fácil conseguir contratos de corto plazo, que cualquier cosa permanente. Ciertamente ha significado adaptarme a las nuevas situaciones de manera muy rápida, pero preferiría una situación más segura y la oportunidad de obtener mayor experiencia administrativa.

## Recomendación efectiva

En el clima económico actual muchos candidatos enfrentarán la situación de frecuentes cambios de empleo, breves contratos y periodos de desempleo. Los entrevistadores no lo están molestando cuando lo mencionan; necesitan saber cómo hace frente y cuáles son sus estrategias cuando se encuentra en una posición desalentadora.

**P** ¿Cómo se ha motivado para seguir buscando trabajo desde que está desempleado?

**R** He intentado desarrollar bastante estructura en mi búsqueda de trabajo y lo más importante que he logrado es mantener la conexión con una red regular de contactos. Esto no sólo conserva mi nombre allá afuera, también me mantiene en contacto con cualquier idea o desarrollo nuevo. Así es como supe que podían estar buscando a alguien con mi experiencia.

**P** Ha solicitado no pedir referencias con su jefe actual. ¿Por qué no le alegra que hagamos esto?

**R** Mi actual compañía puede estar buscando algunas medidas para recortar costos, y si consideran que estoy buscando empleo por otro lado, podría resultar siendo uno de ellos. Estoy muy satisfecho con mi trabajo ahí, pero he estado al mismo nivel durante los últimos dos años y medio, y pienso que el puesto que están ofreciendo es ideal. Estoy seguro de que me agradaría, pero no puedo garantizar que seré el candidato exitoso, y no quiero desestabilizar las cosas con mi actual compañía.

**(R)** Mi actual gerente sólo ha estado en el puesto durante tres meses y si le solicitaran escribir mis referencias, no estoy seguro de que conozca mi trabajo lo suficiente, lo que éste encierra y mis fortalezas, o que sea capaz de hacerle justicia a mis habilidades. Siento que obtendrían información bastante más relevante de mi anterior jefe, para quien trabajé durante cuatro años y medio.

**(P)** Sus referencias muestran que el año pasado estuvo 15 días fuera del trabajo por enfermedad. ¿Es éste uno de sus típicos registros anuales?

**(R)** No, nada más alejado de la verdad. Esos 15 días fueron en bloque y porque había tenido un accidente esquiando durante las vacaciones. Desde entonces mi registro de asistencia ha sido bueno.

**(P)** Además de su derecho anual a vacaciones y días festivos, ¿cuántos días estuvo ausente el año pasado?

**(R)** Cuatro, dos por cirugía dental y los otros dos debido a una gripe sumamente fuerte que significaba ser inútil al teléfono, aunque por lo general soy bastante resistente.

(Los registros de salud son del interés de los empleadores. Muchas organizaciones utilizarán una solicitud de referencia proforma, misma que envían a su jefe actual o evaluador asignado. Este formato usualmente contiene una sección para pedir el detalle de los días que ha faltado a trabajar por enfermedad, de manera que el entrevistador pudo haber ya tenido acceso a la información precisa.)

**(P)** ¿Qué tan bien administra el tiempo?

**(R)** Bien, normalmente soy el primero en llegar por la mañana y no me agrada llegar tarde a las reuniones, ni a los entrenamientos, ni a nada. Creo que la puntualidad se le debe a los colegas, así como al gerente.

**P** Dejó su último empleo sin tener otro en el tintero. ¿No fue eso un poco riesgoso?

**R** Sí, supongo que lo fue, pero nunca he pretendido permanecer en ventas durante mucho tiempo y sentí que era la decisión correcta. Habían existido varios cambios ahí recientemente y pocos compañeros estaban a gusto. Se necesita mucho para desanimarme, pero sentí que la más inteligente de mis opciones era partir y empezar a buscar otra cosa. El empleo en ventas resultó útil, especialmente tratar con gente y trabajar bajo presión, dos cosas para las que me había vuelto muy bueno. Estoy seguro de que ambas serían valiosas en su departamento de soporte al cliente.

**P** Una de sus referencias sugiere que a veces pierde la calma en la oficina. ¿Cómo reacciona a esto?

**R** Ha sucedido muy rara vez, pero de haber sido irracional, siempre he sido rápido para disculparme y ciertamente nunca ha sucedido frente a un cliente. Estoy consciente de ello, así que hago un esfuerzo por mantener la calma y explicar lo que me está molestando o frustrando. Pienso que la mayoría de mis colegas dirían que, aunque puedo ser un poco voluble, la mayor parte del tiempo soy un miembro amable y de respaldo para el departamento.

**P** ¿Alguna vez le han pedido que renuncie?

**R** No, pero me he acercado lo suficiente como para renunciar por mi cuenta, lejos de esperar a que me lo soliciten. Hemos llevado a cabo una restructuración con un gerente nuevo, con quien admito que no hago química y sin embargo, he trabajado ahí exitosa y productivamente durante diez años. Sabía que un recorte de costos y medidas de racionalización estaban sobre la mesa, y sólo debía de aceptar que yo no era la novedad del mes. Fue difícil, pero resultó una lección útil e invertí 18 interesantes meses trabajando como consultor independiente.

**R** No, me satisface decir que no es una experiencia que haya tenido que enfrentar.

**R** Sí. Fue el primer empleo que tuve al terminar la escuela. Realmente quería incorporarme en cualquier cosa que tuviera que ver con automóviles y de alguna manera terminé trabajando para una compañía de seguros. No creo que hubiera funcionado jamás.

### Recomendación efectiva

No se dispare en el pie. Si ha tenido muy malas experiencias perdiendo empleos sin ser su culpa, o incluso como resultado de sus actos, si pertenecen al pasado y no surgen en las referencias, no lo mencione.

## ¿QUÉ SE SUPONE QUE DEBO DECIR?

Algunos entrevistadores intentarán saber más sobre sus fortalezas y debilidades, confrontándolo con escenarios imaginarios sólo para observar qué tan bueno es para pensar sobre la marcha. Estas preguntas no están diseñadas con una sola respuesta correcta en mente, así que no pierda tiempo agonizando por la solución apropiada. Lo que está buscando el entrevistador es evidencia de su sentido común, su habilidad para tomar decisiones bajo presión y su capacidad para reconocer sus propios límites.

**P** Es el gerente de un gran supermercado y por teléfono recibe una llamada anónima diciendo que varios de los productos de comida para bebé que ofrece han sido destapados por un grupo de protesta. ¿Cómo reacciona?

**R** Sospecharía que probablemente se trata de un engaño, pero desde luego tomaría todas las precauciones respectivas en caso de que no. Si tuviera un asistente, le solicitaría los arreglos para acordonar dicho pasillo y considerar lo que se puede hacer para detener cualquier artículo que cruce por las cajas. También haría un discreto anuncio por los altavoces. Llamaría a la policía, a la prensa local y la radio para comenzar a dar aviso de cualquier artículo sospechoso. Si no tuviera un asistente, mi prioridad sería detener a cualquiera comprando alguno de los productos en cuestión, para luego contactar a la policía.

**P** Trabaja para una compañía que resultó involucrada en pláticas secretas para fusionarse con otra. Está consciente de esto porque es su trabajo saberlo, pero no tiene ninguna autoridad en estas pláticas o en el acuerdo. Es el último en la oficina y recibe una llamada de un miembro de la prensa financiera diciendo que han escuchado que la fusión se está llevando a cabo. ¿Qué haría?

**R** Le diría que debe platicar con algún director de la compañía, pero que desafortunadamente ninguno está disponible por el momento. Verificaría los diarios y les ofrecería el menor tiempo posible para llamar de vuelta. De presionarme, simplemente repetiría mi respuesta anterior muy tranquila y decentemente.

**P** Se encarga de la sección de investigación y desarrollo de su compañía y cuenta con un diseñador que es brillante para su trabajo, pero muy difícil de trato: impredecible, malhumorado y, en muchas ocasiones, incapaz de respetar las reglas de la compañía. Sin embargo, no hay duda de que le ayuda a generar mucho dinero porque en un buen día sus ideas resultan brillantes. ¿Cómo lidia con esto?

**R** Tendría que observar si no estamos perdiendo gente valiosa a causa de él, o qué tan posible sería que se uniera a la competencia si lo elimináramos, pero sobre todo si habría cosas que pudiéramos hacer para conseguir que trabajara más efectivamente como miembro del equipo. Comenzaría hablando con él, posiblemente involucrando al departamento de Recursos Humanos en esta discusión, para juntos acordar objetivos claros para mejoras con un determinado periodo de revisión. De parecer apropiado, también podría ofrecer entrenamiento y apoyo.

## Recomendación efectiva

Una potencial dificultad con este tipo de pregunta es que no tendrá mucho tiempo para responder. Asegúrese de acotumbrarse a tomar menos tiempo para pensar consiguiendo a un amigo que le confronte con escenarios imaginados (los amigos son capaces de ser bastante más hoscos que muchos entrevistadores en la vida real).

Los entrevistadores no deberían realizar preguntas sobre sexo, religión ni política. De hecho muchas de estas preguntas son ilegales y encontrará algunos consejos al respecto en el siguiente capítulo. Pueden, sin embargo, cuestionarle sobre los asuntos de actualidad y sus conocimientos generales. A menos que esté enfrentando a un entrevistador particularmente tortuoso, estas preguntas no están diseñadas para revelar sus preferencias políticas, pero sí para evaluar su habilidad de expresar opiniones, formular argumentos o defender un punto de vista. Normalmente no elegirán asuntos polémicos.

**P** ¿Qué opina sobre organizar los Juegos Olímpicos en Londres?

**R** Pienso que es magnífico. Creo que ayudará a la economía y si el turismo comienza a declinar conforme la gente se preocupa más por viajar en avión, los juegos podrían ser justo lo que necesitamos para mantener a Inglaterra boyante. Si todo termina a tiempo, representará un buen modelo de cómo podemos cumplir desafiantes plazos de vencimiento.

**R** A pesar de que soy un deportista entusiasta, en realidad tengo mis reservas al respecto. Considero que podría ser difícil justificar semejante gasto cuando existen tantas otras demandas en las finanzas públicas y privadas. Claro que en esta ocasión no me molestaría estar equivocado.

He aquí algunas preguntas más sobre asuntos actuales para ofrecerle la oportunidad de elaborar sus propias respuestas.

**P** ¿Cómo mejoraría el transporte público en esta ciudad?

**P** ¿Qué pasos daría para integrar más efectivamente a la población estudiantil en la comunidad local?

**P** Si repentinamente recibiera un millón de pesos para invertirlos mejorando la ciudad, ¿cómo los ocuparía?

**P** ¿Cómo estimularía a más jóvenes para continuar con su educación?

Ⓟ ¿Cree que la gente debería recibir incentivos para reciclar su basura o ser penalizados por no hacerlo?

Ⓟ ¿Qué historia captó su atención en las noticias de hoy?

Ⓟ ¿Qué legislación nueva introduciría?

Ⓟ ¿Qué legislación actual aboliría?

Ⓟ ¿Cómo mejoraría el estado de las finanzas en el país? (Bueno, probablemente todos lo estén pensando.)

### Recomendación efectiva

Piense en sus propias preguntas, especialmente cualquiera que se relacione con la clase de trabajo o el área de la economía en la que está buscando empleo.

Ⓟ Si estuviera compilando un libro con los eventos mundiales más significativos de la década pasada, ¿cuáles incluiría?

Ⓡ Intentaría cambiar un poco los límites de su pregunta y comentaría sobre los movimientos y tendencias que hubieran resultado más significativos durante la década pasada. En el largo plazo, considero que éstos podrían tener mayor influencia que algunos eventos específicos. Supongo que incluiría la enorme expansión de la comunicación global, que al parecer está cambiando a tantos negocios y la velocidad con que la información de cualquier cosa puede dar la vuelta al mundo. La expansión europea y el desarrollo de la economía china posiblemente también tengan un efecto de largo plazo en la tendencia económica mundial. Desde luego, probablemente resulte significativa una elevada conciencia en los asuntos de seguridad de todo tipo, por ejemplo, los planes para introducir tarjetas de identificación aquí en el Reino Unido. En lo personal me gustaría pensar que una creciente conciencia de los temas ambientales, especialmente con el consumo de energía, se volverán un asunto de mayor importancia para todos, a nivel personal y nacional.

(Está bien incluir comentarios personales en preguntas como ésta, pero necesita ser precavido. No haría los mismos comentarios sobre el calentamiento global para un grupo de presión ambientalista, que para una compañía petrolera.)

 **Recomendación efectiva**

Si quiere ofrecer la impresión correcta, es particularmente importante estar preparado para este tipo de preguntas cuando busca empleo con los medios, la política de desarrollo, los cabildeos, etc. También podría encontrarse enfrentando esta clase de preguntas pero relacionadas específicamente con su propia profesión, por ejemplo, educación, salud, el medio ambiente, el sistema judicial, etc., así que considere cuidadosamente los asuntos y temas de conversación respectivos.

## ESO FUE HOSCO

Hay algunas entrevistas donde no son tanto las preguntas tocando algún nervio sensible, como los inconvenientes de la entrevista misma: silencios, preguntas que sencillamente no puede responder o entrevistadores agresivos.

El silencio puede ser valioso –podría haber algo hermoso en una playa desierta bajo un cielo estrellado–, pero pierde su magia y poesía cuando provoca un vergonzoso vacío en el flujo conversacional de una entrevista. Para empeorar las cosas, no todos los silencios de una entrevista son del mismo tipo. Existe el silencio que significa no tener idea de qué decir; el silencio que expresa que sabe hacia dónde va el entrevistador, pero es una pregunta incómoda y necesita tiempo para pensarla; o el silencio con el que considera haber ofrecido una respuesta detallada, completa y convincente y, sin embargo, lo desilusiona el entrevistador al no proceder con la siguiente pregunta. En cualquiera de las tres instancias, resista la tentación de hacer una broma, ponerse a cantar o romper en llanto apresurándose fuera del recinto; hay maneras más efectivas de lidiar con la situación.

Si en realidad no conoce la respuesta a una pregunta, entonces debería decirlo. Este problema es muy factible que ocurra cuando le hacen preguntas técnicas/profesionales cuyas respuestas aún no conoce en esta etapa o le solicitan proporcionar información de algún tipo.

Ⓡ Lo lamento pero ésa no es un área con la que actualmente esté familiarizado, por lo que no puedo darle ningún detalle al respecto.

Ⓡ No estoy familiarizado con ese sistema de administración de datos en particular, aunque imaginaría que es muy similar a otros que conozco y generalmente soy rápido para entender nuevos sistemas.

Ⓡ Lo lamento, pero no había escuchado ese término antes. ¿Podrías aclarármelo?

Ⓡ Temo que se trata de un área que no cubrimos en el curso, pero es algo que me encantaría aprender.

Ⓡ Temo que ésa es una situación con la que nunca he tenido que lidiar, pero supongo que la abordaría de la siguiente forma.

(Entonces continúa ofreciendo detalles específicos.)

Ⓡ Ésa es un área nueva para mí, por lo que en realidad temo no poder contestarle; pero me agrada adquirir nuevos conocimientos y aprendo rápido.

Ⓡ Ésa no es un área con la que de momento esté familiarizado, pero veo que en su folleto de reclutamiento ofrecen un minucioso programa de inducción y oportunidades de entrenamiento, así que, de obtener un puesto con ustedes, me gustaría aprovechar alguna de éstas.

Ⓡ No estoy familiarizado con esa legislación, pero es algo en lo que rápidamente podría actualizarme, de obtener este puesto.

Ⓡ Nunca antes he utilizado ese programa, pero me encantaría llevar a cabo el entrenamiento necesario, ya fuese con su departamento de capacitación o de resultar más apropiado, en un curso externo.

## ✦ Recomendación efectiva

Ofrezca una buena impresión siendo franco y enfatizando su habilidad para encontrar respuestas a lo que no sabe. Permanezca tranquilo y seguro, eso cuenta mucho.

Ponga en acción algunas de sus más finas cualidades, por ejemplo, confianza en sí mismo, asertividad, honestidad y compostura.

Es completamente aceptable solicitar aclaraciones cuando no comprende la pregunta, pero hágalo de forma que no ridiculice a su entrevistador. "No tengo idea de lo que habla" no es una respuesta que se ganará su aprecio.

**R** Lo lamento, no estoy muy seguro de lo que está preguntando. ¿Me lo podría repetir, por favor?

**R** No estoy seguro por dónde empezar con eso. ¿Podría explicármelo un poco más, por favor?

(Solicitar algunos momentos para pensar su respuesta puede de inmediato remover el factor de ansiedad ante el silencio.)

**R** Es una pregunta interesante; ¿me permitiría un momento para organizar mis pensamientos?

**R** Hay mucho que podría comentar al respecto; ¿me aguarda mientras lo pienso un minuto?

(Estas respuestas están bien. Tómelo como que ha exagerado si el entrevistador se pone de pie, se prepara un café y lidia con una o dos llamadas telefónicas, mientras usted ponía en orden sus pensamientos.)

Si se enfrenta con una situación donde piensa que ha ofrecido una respuesta completa, pero sobreviene un silencio porque no escucha otra pregunta, entonces siempre puede decir:

**R** ¿Le gustaría que agregue algo?

**R** ¿Debo comentarle un poco sobre cómo mi anterior empleo me ofreció algo de útil experiencia  para lidiar con este tipo de problemas?

Encontrarse con un entrevistador agresivo no es agradable, pero felizmente es una rara experiencia para un candidato. Hasta cierto punto, dicha forma de entrevista está pasada de moda y la preocupación con respecto a las mismas oportunidades, más una creciente confianza en las entrevistas basadas en competencias, disminuyen esta posibilidad. No obstante, su entrevistador podría estar en su día libre, bajo intensa presión o simplemente careciendo de la personalidad ideal para entrevistar.

Algún empleador podría querer determinar su reacción en una situación hostil y descubrir aspectos de su personalidad utilizando medios distintos al solo hecho de solicitarle describirlos. Mantener la calma y evitar golpear al adversario es un punto de partida fundamental. Como quiera, también es importante que no colapse bajo la presión y continúe expresando sus bien preparadas respuestas, clara y acertadamente.

 **Recomendación efectiva**

Las preguntas que suenan agresivas a menudo comienzan con "por qué": "¿por qué tomó está decisión?", "¿por qué surgió este problema?". Sólo mantenga la calma, no se precipite ofreciendo una vaga respuesta y procure no tomar el asunto personalmente.

Recuerde que las preguntas no son mucho más difíciles, incluso si se realizan de manera incómoda. Podría ser que la posición para la que aplicó significará que será asignado con algún colega o cliente bastante agresivo y si su entrevistador está consciente de ello, querrá comprobar que sea capaz de hacerle frente.

De vez en cuando usted es amable, su entrevistador es agradable, pero las circunstancias son difíciles. Su entrevista resulta constantemente interrumpida por llamadas telefónicas o gente irrumpiendo en la sala. Probablemente incluso su entrevistador se sienta más frustrado que usted al respecto (a menos que se trate de algún bizarro examen psicológico). Mala planeación, presiones de tiempo o falta de personal son explicaciones más probables. Fíjese dónde se interrumpe la conversación, de manera que rápidamente la pueda poner en marcha otra vez, cuando su entrevistador se encuentre batallando con el "¿Dónde estábamos?". Un candidato entrevistado para un empleo en una compañía con base en una ciudad costera, vio su entrevista interrumpida porque el entrevistador era miembro de la tripulación del bote salvavidas y fue convocado para un rescate, por lo que algunas interrupciones deben ser perdonadas.

## SUMARIO Y RECORDATORIOS

Con pensamiento y planeación cuidadosos, puede lidiar incluso con las más incómodas, desafiantes o desconcertantes preguntas.

1. Prepárese anticipadamente para cualquier área donde sepa que puede ser vulnerable.
2. Asegúrese de que la gente cuyos nombres está ofreciendo como referencia, lo sepan de antemano y le hayan dado su autorización. Esto no sólo es cortés, también significa que de existir cualquier tema de preocupación, puedan estar preparados para discutirlo con usted anticipadamente.
3. Acepte que algunas entrevistas saldrán mal y no siempre puede redimir la situación.
4. Sea cálido y honesto, pero no ofrezca a la gente información que no esté solicitando; no se adjudique los asuntos que no le corresponden.
5. Recuerde que jamás le hubieran llamado a una entrevista si no tuviera posibilidad auténtica de ser el candidato exitoso, así que sea positivo.

# Capítulo 10

## Una misma oportunidad de éxito

Igualdad de oportunidades, pensamiento positivo y el proceso de selección

Quien quiera que sea llamado a una entrevista debe aceptar que podría no ser el mejor candidato. A menos que vaya por una promoción en una compañía donde sabe qué colegas están aplicando o se encuentre en un grupo de graduados donde todos buscan la misma compañía, los demás candidatos son una cantidad desconocida. De lo que quiere asegurarse, sin embargo, es que se le otorgue una oportunidad justa; que no sólo haya sido llamado a la entrevista para completar los números y que el proceso de selección no le discriminará en términos de edad, género, antecedentes étnicos, orientación sexual, salud o discapacidad.

### DISCRIMINACIÓN INJUSTA

La discriminación injusta radica en desfavorecer a alguien en términos de raza, género o discapacidad. Varios grupos de candidatos que podrían resultar discriminados cuentan con protección legal.

No puede compensar cualquier preparación que como candidato haya realizado, ya sea por los actos ilegales o la pobre actitud del panel entrevistador. Lo que puede hacer es prepararse para ser tan positivo y constructivo como sea posible, y también para estar al menos consciente si le ve cuestionado para responder lo que considera como preguntas inapropiadas o inaceptables. Queda más allá del alcance de este libro ofrecer una guía comprensible de la ley, pero hay diferentes piezas de legislación relacionadas con discriminación en términos de género, raza y discapacidad. La legislación más reciente ha transformado en ilegal discriminar en términos de edad, aunque el principal espíritu de esto es proteger a la gente mayor para no perder su empleo. Otras regulaciones laborales recientes ofrecen protección contra la discriminación en términos de orientación sexual y creencia religiosa.

 **Recomendación efectiva**

Es mejor prepararse para cualquier entrevista asumiendo que no será discriminado, así que no invierta horas estudiando la legislación relevante.

Los empleadores desde luego están bastante razonablemente titulados para asegurarse de que es capaz de hacer el trabajo. Los entrevistadores conscientes y experimentados realizarán preguntas de una manera apropiada.

 **Ejemplo efectivo**

Empiece considerando esta pregunta muestra y el modelo de respuesta. Ambas son seguidas por un breve análisis de lo que hace a esa respuesta ser un éxito.

**P** ¿Qué experiencia ha tenido de trabajar con diversos grupos de gente?

**R** He tenido muchas oportunidades y siempre he disfrutado trabajar con diferentes personas. En mis cursos universitarios había estudiantes de 17 países distintos y el más grande tenía 57 años. Encontré que aprender de la gente con diversas perspectivas culturales y experiencias de vida en verdad resultaba valioso y volvía muy interesantes las discusiones en los seminarios. Abrió mis ojos hacia asuntos culturales en los que nunca había pensado, tales como las diferentes maneras de manejar la confrontación, revelar información personal, etc. He procurado mantener esa conciencia andando durante mi vida laboral. Creo que resulta esencial para cualquier compañía que quiere ser exitosa en el mercado global tener un equipo de personal realmente diverso y me sentiría más incómodo si éste no fuese el caso.

**Por qué funciona esta respuesta:**

* Significa más que fingir veracidad para igualar las políticas de oportunidad.
* Probablemente resulte mejor ofrecer un ejemplo como el de los cursos universitarios, en lugar de simplemente presentar una lista con los grupos que considera que pudieran ser discriminados.
* Sugiere que se sujeta de, y construyes sobre, útiles lecciones que aprende en la vida.
* Enfatiza los beneficios para el negocio preocupado por la diversidad cultural.

---

Procure analizar algunas de las siguientes respuestas en este capítulo para observar por qué funcionan. Puede aprovechar la misma técnica cuando esté elaborando su propio modelo de respuestas.

La pregunta que acaba de considerar es una cuestión muy amable, que le facilita pensar acerca de oportunidades equivalentes, y es una pregunta que está evaluando sus actitudes. Muchas de las siguientes preguntas pueden resultar bastante hostiles y podrían decir más acerca de su jefe potencial que de usted.

**P** En este empleo hay ocasiones en que debe trabajar hasta las 7:30 pm sin previo aviso. ¿Podría ser capaz de hacer eso?

**R** Entendí esto desde su descripción de puesto y no sería ningún problema.

(En lugar de la siguiente pregunta, que no se debería preguntar.)

**P** Veo que tiene hijos. ¿Cómo se las arreglaría para su atención si fuese requerido para trabajar hasta tarde?

(Esta segunda versión lo hace sentir con la necesidad de subrayar sus arreglos para la atención de niños y se desvía del propósito principal de la entrevista: venderse como el candidato idóneo. Procure ocupar una respuesta similar a la anterior.)

**R** Consideré todos estos asuntos cuidadosamente antes de aplicar para este empleo, por lo que estaría bastante preparado para emprender el trabajo hasta más tarde cuando sea necesario.

•

(En otras palabras, nada que le importe mientras pueda cumplir los compromisos de mi trabajo, pero soy demasiado decente y sensible para decirlo.)

Un ejemplo de una efectiva pero pobre manera de cuestionar a un candidato para quien su lengua materna no es el español (o inglés):

**P** Coménteme sobre sus habilidades para escribir.

**P** ¿Qué tan buenas son sus habilidades verbales para comunicarse?

En lugar de:

**P** Veo en su CV que llegó al Reino Unido sólo hace dos años y que el inglés no es su lengua materna. ¿Cómo haría frente?

**R** Estudié inglés en la escuela, por lo que mi escritura ya era buena antes de llegar aquí, aunque he preferido aprender utilizándolo y estoy satisfecho de mantener una conversación en cualquier tema. De hecho, en uno de mis trabajos administrativos temporales fui felicitado por mi buen manejo del idioma inglés. Me encantaría aprender también otros idiomas europeos; es algo que me agrada y se me facilita.

## Recomendación efectiva

Recuerde que tiene una alternativa. Durante una entrevista puede creer que ha sido cuestionado con una pregunta inapropiada o incluso ilegal, pero el sentido común y su libre albedrío deben dictar su reacción. Aún podría querer el empleo y estar favorablemente impresionado con todo lo demás que ha descubierto sobre la organización. En este caso podría decidir que no es apropiado hacer otra cosa que responder la ofensiva pregunta, tan diplomática y positivamente como pueda. Nunca es fácil decidir si ser pionero tanto de sus derechos personales como de los demás o continuar por la ruta más pragmática.

He aquí algunos ejemplos de cómo lidiar con preguntas antipáticas.

Ⓟ No menciona su edad en el CV. ¿Cuántos años tiene?

Ⓡ Estoy empezando los cuarenta y he tenido más de veinte años de experiencia laboral; los últimos cinco años en el departamento de Recursos Humanos y considero que mi experiencia es muy útil para este puesto. He tenido muchas oportunidades de desarrollar mis habilidades interpersonales, trabajar con otros colegas, diferentes equipos de trabajo y miembros del público.

Ⓡ No estoy seguro de por qué necesita mi edad. He tenido cinco años de experiencia tras graduarme y aprobé mi examen profesional hace dos años. Ciertamente puedo ofrecer más detalles específicos sobre mi último empleo.

Ⓟ Es el mayor de todo el equipo que empleamos aquí. ¿Cómo piensa que encajaría?

Ⓡ Creo que encajar depende de la personalidad y un verdadero interés en el empleo, teniendo poco que ver con la edad. He notado que la mayoría del personal en esta agencia publicitaria y posiblemente en la mayoría de ellas, es menor que yo. Me siento cómodo trabajando con grupos de cualquier edad. Era el estudiante más grande de mi clase, pero encajé bien social y académicamente, tengo algunas ideas creativas y después de todo, he sido consumidor durante más tiempo que la mayoría de su personal y sé lo que me lleva a comprar algo.

Ⓟ El gerente es mucho más joven que usted. ¿Cómo se siente respecto a ser manejado por alguien más joven?

Ⓡ Estoy bastante más interesado en sus cualidades como gerente que en su edad. He tenido gerentes de distintas edades con anterioridad y nunca me ha parecido representativo. Creo que puede resultar altamente beneficioso tener una mezcla de edades y formas de experiencia, ya que proporciona una buena oportunidad para el aprendizaje.

Ⓟ No sabíamos lo joven que era cuando lo convocamos a la entrevista. ¿Cree poder realizar el trabajo?

**R** Claro; el empleo realmente me agrada. Me encanta el deporte y la idea de laborar en un centro de tiempo libre. He tenido mucha experiencia no remunerada, pero verdaderamente buena, ayudando en el negocio detallista de mi familia. Con frecuencia me he encargado del lugar yo solo y estoy muy acostumbrado a lidiar con la gente.

Se supone que los jefes no deben discriminar en términos de edad y si ha sido llamado a la entrevista, puede asumir que no lo harán. Hay muchas actitudes profundamente incorporadas en nuestra cultura laboral con respecto a ser demasiado joven o viejo para el trabajo, por lo que muy bien podría encontrarse respondiendo esta clase de pregunta.

**P** ¿Espera seguir trabajando después de la edad de retiro reglamentaria?

**R** Ciertamente lo consideraría, sobre todo si estoy disfrutando el trabajo tanto como ahora y continúo apto y sano. Me agrada compartir las ideas con colegas de diferentes edades y me cuesta trabajo imaginar cambiarlo repentinamente.

Hay algunas preguntas que nunca debería sentirse obligado a responder, aunque quiera permanecer por la derecha con su entrevistador, preguntas como: "¿Tiene novia/novio?", "¿Es homosexual?", "¿Por quién votó durante las últimas elecciones?", son inapropiadas.

## ✸ Recomendación efectiva

Si lo cuestionan con varias y desagradables preguntas, podría querer considerar si ésta es realmente la clase de jefe para el que quiere trabajar.

**P** ¿Está casado?

(Una pregunta que en realidad no deberían formular.)

**R** Lo estoy, pero mi vida laboral y doméstica son dos cosas aparte. Disfruto mucho mi actual trabajo, especialmente desde que he aceptado mayor responsabilidad administrativa.

Ⓡ No lo estoy, pero casado o no, mi principal interés actual es desarrollar mi carrera como arquitecto. He seguido sus proyectos recientes con gran interés y como pueden observar en mi portafolio, mis diseños y aspiraciones parecen encajar muy bien con lo que están buscando.

Ⓡ En realidad no veo la relevancia de esa pregunta en esta entrevista.

(Corre el peligro de sonar hostil con esta última respuesta, pero podría ser exactamente lo que sienta y la única respuesta satisfactoria.)

Ⓟ ¿Tiene hijos?

(Ésta es otra de las difíciles.)

Ⓡ No, no tengo.

Ⓡ Sí, tengo dos, ambos en la escuela. Tener este doble papel me ha vuelto una administradora del tiempo muy efectiva y esto sin agregar que soy bastante capaz de mantener mi vida doméstica y laboral separadas.

Ⓡ No estoy seguro de la relevancia de esa pregunta para mi candidatura al puesto, realmente no me siento cómodo respondiendo tales preguntas personales.

Ⓟ A partir de su CV, veo que llegó a este país apenas hace tres años. ¿Cómo encaja en el mercado laboral?

Ⓡ Estoy realizando un trabajo muy similar al que hacía antes de venir aquí –laborando en proyectos de construcción mayores– y he sido calificado como supervisor de cantidad durante cinco años. Me agrada el trabajo aquí y si me ofreciera un empleo, podría ser un gran activo para algunos de sus eventuales proyectos internacionales.

Ⓟ Ya ha conocido al personal de esta oficina. ¿Qué tan bien piensa que encajaría con nosotros?

**R** El personal que conocí parecía muy atento y muy comprometido con la familia y la legislación de la comunidad. Imagino que varios de sus clientes en esta localidad pertenecen a diferentes grupos étnicos, así que probablemente le haría mucho bien a su imagen.

### Recomendación efectiva

No necesita consultar la legislación en igualdad de oportunidades para preparar una entrevista, pero sabiendo que la ley está de su lado podría ser útil si tiene preocupaciones en particular. No necesita decirle a su jefe que es un experto en la legislación reciente, simplemente conocerla probablemente le hará sentir mayor control.

No existe legislación que cubra la discriminación en términos de edad, género, raza, discapacidad, religión, sexualidad y orientación sexual. Cada uno de estos específicos está cubierto por un apartado distinto en la legislación y hay bastante información de todo esto en internet. En todos los casos, la ley aplica para los procedimientos de reclutamiento y selección, así como para lo que ocurra una vez que tenga el empleo.

## UBICACIÓN, UBICACIÓN, UBICACIÓN

Es comprensible que los entrevistadores deseen saber cómo está colocado en caso de que su empleo o la organización se mueva o involucre viajar mucho.

**P** Estamos explorando la opción de trasladar nuestra sede a otra ciudad. ¿Estaría en posibilidad de trasladarse si nosotros lo hiciéramos?

**R** Sí, lo estaría. Estoy establecido aquí y comprando una propiedad, pero si el trabajo es adecuado para mí, definitivamente estaría preparado para considerar trasladarme. ¿Qué clase de asistencia proporcionan al personal con respecto a paquetes de traslado?

**P** Si le ofreciéramos este empleo en nuestro departamento de soporte de TI, sería necesario que proporcionara alguna cobertura los fines de semana, así como estar disponible para emergencias con las guardias. ¿Tiene inconvenientes al respecto?

**®** Eso estaría bien. En mi actual empleo proporciono algún apoyo el fin de semana y me daría mucho gusto continuar esto; de cualquier forma, así lo suponía. Sería útil saber con qué tanta anticipación planean sus guardias, pero normalmente puedo ser flexible.

**℗** ¿Qué tan geográficamente móvil puede ser?

**®** Estoy consciente de que este puesto podría involucrar transferencias y lo tenía en mente cuando apliqué. Me gusta esta zona, pero tratándose de la oportunidad adecuada, sin duda consideraría mudarme.

**℗** Este empleo involucra viajar bastante y estaría muy alejado de casa. ¿Tiene inconvenientes al respecto?

**®** Ninguno en absoluto. Simplemente lo veo como parte del trabajo. Sé que no siempre es tan glamoroso como suena, pero soy muy adaptable y bueno para sacar adelante el trabajo cuando no estoy en mi escritorio. Tuve que hacer un poco de eso en mi empleo anterior.

**℗** Nos agrada que el personal atienda nuestras funciones sociales. ¿Qué le parece esto?

**®** En principio me da mucho gusto. Claro que depende de la función y de los otros compromisos que tenga en ese momento, pero puede ser realmente bueno para conocer a los colegas en contextos diferentes al diario ambiente laboral.

(Los jefes no pueden obligarlo a atender funciones sociales a menos que sea parte de su papel y descripción de puesto, por ejemplo, organizando eventos.)

**℗** ¿Cuánto tiempo pretende trabajar con nosotros?

**®** Realmente considero este desplazamiento como un progreso en mi carrera y, si todo sale bien, me gustaría trabajar aquí durante el futuro previsible. Sé que la rotación de personal puede representar verdaderas dificultades para los servicios sociales y siento que es

importante ser consistente, conocer el área, los clientes, el departamento y su manera de trabajar. Finalmente, me gustaría tener mayor
responsabilidad administrativa.

Ⓟ He empleado gente que ha compartido puesto con anterioridad y sólo consigo tener el doble de administración y muchos dolores
de cabeza. ¿Cómo podría asegurarme que esta vez será diferente?

Ⓡ Lamento que haya tenido una experiencia tan triste. He compartido el trabajo anteriormente y funcionó muy bien. Conocí a la persona con la que estaré compartiendo aquí y ambos tenemos el compromiso real de hacer que a usted le funcione. Estoy seguro de que lo más
importante es la buena comunicación entre nosotros dos y todos los
demás aquí, especialmente nuestro gerente de línea. Probablemente
resultaría muy útil asegurarse de que estemos juntos aquí medio día
por semana, de tal forma que podamos discutir cualquier cosa que lo
amerite. A través del correo electrónico y aunque incluso esto no siempre fuera posible, ciertamente me aseguraría de mantener a mi compa-
ñero muy bien informado de cualquier asunto sobresaliente y cualquier
cosa que requiriese de seguimiento. Usted obtiene las ideas y la energía
de dos personas, incluso si representa un poco más de administración.
Estoy seguro de que esto funcionaría muy bien en esta instancia.

Ⓟ Veo que ha estado trabajando medio tiempo durante los últimos tres años. Éste es un puesto de tiempo completo. ¿Han cambiado sus circunstancias de manera que necesite buscar un empleo
permanente?

Ⓡ Estaba realizando un curso nocturno en diseño de interiores
y aunque sólo tomaba dos noches por semana, también debí llevar
a cabo una gran cantidad de estudio autodidacta. Ahora que he terminado ese curso, ciertamente soy capaz de aceptar un trabajo de
tiempo completo.

(Podrían continuar esto con algo como la siguiente pregunta.)

Ⓟ ¿Encuentra difícil manejar su tiempo? Sobre todo teniendo
exigencias de varias direcciones.

(No se exalte si tratan de sorprenderlo así.)

**R** Para nada. Prefiero tener más de un proyecto en el tintero. Trabajé mientras estudiaba en la universidad y era representante de mi clase durante mi último y más ocupado año. Creo que con frecuencia se encuentran formas imaginativas para lidiar con los problemas al gestionar diversos asuntos en varios aspectos de tu vida. El curso de diseño fue muy importante para mí: debí ahorrar para tomarlo y quería hacerlo bien. Ciertamente me ha estimulado para ser más creativo e imaginativo, y ya tengo algunas ideas realmente buenas que estoy seguro de que funcionarían bien si me ofrecen esta posición. Si lo desea, le puedo ofrecer una de ellas.

(No se ofenda si no aceptan una oferta como ésta: la restricción de tiempo es siempre un gran problema para entrevistadores y candidatos.)

**P** ¿Tiene algún asunto personal fuera del trabajo que pudiera afectar su habilidad para realizar esta labor?

(Aunque es una pregunta incómoda, de hecho no es ilegal. Si alguien que hubiese aplicado para encargarse de un campanario tuviera fobia a las alturas, entonces sería razonable que el patrón lo supiera, aunque normalmente la información sumamente personal no debería ser relevante. Podrían cuestionarlo con esta clase de pregunta si las exigencias emocionales del trabajo son muy altas; por ejemplo, si trabaja en algunos aspectos de la salud mental, atención social o medicina. A algunas compañías norteamericanas parece gustarles realizar este tipo de pregunta franca. Resista la tentación de decir "Nada que le importe", pero no se esfuerce por ofrecer información personal que no le interesa a su entrevistador.)

**R** Siempre he encontrado que soy muy bueno para mantener mi vida personal y laboral separadas. A menudo, cuando un área de la vida es un poco problemática, resulta muy útil ser capaz de concentrarse en el trabajo, pero actualmente todo es estable y apunta a este desplazamiento profesional como mi foco. Aunque digo que mantengo separados el empleo y otros aspectos de mi vida, siempre me ha gustado socializar con los colegas cuando resulta ser esa clase de trabajo en equipo.

## CAPAZ DE REALIZAR EL TRABAJO

Los candidatos con discapacidades enfrentan determinadas preocupaciones con respecto al proceso de selección. Incluso con la protección legal en la Ley de la Discriminación contra la Incapacidad,[*] puede todavía encontrarse en la posición de tener que convencer al entrevistador, adicionalmente a las exigencias normales de una entrevista.

**(P)** **Mencionó en su CV que tuvo un problema de salud. ¿Podría comentarme un poco más al respecto?**

(En octubre de 2010 se volvió ilegal discriminar en términos de salud, pero no preguntar al respecto.)

**(R)** Sí, durante el último año de la universidad desarrollé ME (Encefalomielitis), e indudablemente es la razón por la que obtuve un grado de tercera clase, en lugar de segunda como estaba previsto. Hasta ese momento, todo mi esfuerzo había representado muy buenas calificaciones. Me alegra decir que he respondido muy bien al tratamiento y ahora me siento mucho mejor, bastante más energético y listo para aceptar un empleo de tiempo completo.

**(P)** Comenta en su formato de aplicación que está registrado como discapacitado y que tiene una imposibilidad visual. ¿Qué implicaciones tendría esto para nosotros si le ofrecemos el empleo?

**(R)** Estoy seguro de que no tendría implicación alguna para ustedes. Requeriría de una computadora con una pantalla razonablemente grande y ciertos programas especializados, pero ya estarán enterados de que existe fondeo externo disponible para eso, por lo que no tendría implicaciones económicas para ustedes. Hasta donde significa cumplir con el trabajo, estoy laborando exitosamente en un ambiente similar, aunque el empleo que ofrecen ustedes parece aún más cercanamente relacionado con mi maestría, que el trabajo que realizo actualmente.

**(P)** Mencionó que es disléxico. ¿Hay alguna manera en la que piense que esto afecta su trabajo?

---

[*] En el Reino Unido.

**R** Bueno, debo admitir que en mi opinión los correctores or- tográficos y otras funciones de la computadora son un maravilloso invento, aunque trabajando como artista gráfico, mi imaginación y ha- bilidades para diseñar son la clave. Considero que una de las razones por las que son tan buenas es porque siempre he debido encontrar formas alternativas a la estricta palabra, para plasmar mis ideas.

## ELIGIENDO EL MOMENTO

Decidir cuándo mencionarle a un entrevistador algo que supone de- bería saber, pero que siente que podría resultar negativo, siempre es complicado y en realidad es motivo de preferencias personales. A algunos candidatos les gusta deshacerse de posibles problemas rápi- damente, para luego continuar intentando obtener el empleo. Otros piensan que revelando algo será más fácil, una vez que han estableci- do el vínculo con su entrevistador.

### Recomendación efectiva

Usted debería ser quien decide cuándo y cómo revelar información, entonces puede sentirse tranquilo, relajado y controlado.

Para los candidatos que poseen antecedentes penales, esto puede representar una enorme fuente de ansiedad adicional y los detalles son complicados. Sin embargo, básicamente existen muchas ofensas que son consideradas *extintas* tras un determinado periodo de tiem- po. Si ya ha cumplido esa condena, no tiene que mencionarlo.

**P** ¿Tiene antecedentes penales?

**R** No, no tengo.

Para cualquier empleo que involucre trabajar con niños o adul- tos vulnerables, será sujeto de consulta en la Oficina de Registros Criminales, incluyendo condenas *extintas*. También puede ser sujeto a veto por la Autoridad Independiente de Salvaguarda (ISA, por sus siglas en inglés), aunque actualmente dichos procedimientos están sujetos a revisión.

**Recomendación efectiva**

Si piensa que podría encontrar prejuicios o tendencias culturales, anticípese a los problemas considerando cuáles pudieran ser algunos de los supuestos en la mente de sus entrevistadores. Entonces trabaje para poner a descansar sus mentes, sin estar incómodo acerca de quién es y siendo positivo con lo que tiene para ofrecer.

## LUCHANDO CONTRA LAS IDEAS FALSAS

Desafortunadamente existen ideas falsas sostenidas por algunos, que de ninguna manera son todos los empleadores. Incluso con la legislación de igualdad de oportunidades en marcha, no puede legislar lo que la gente piensa. La discriminación puede ser sutil e involuntaria. Anticipar algunas de las ideas falsas que podría encontrar puede ayudarle a tener respuestas firmes y apropiadas. Estos conceptos erróneos incluyen:

- Las mujeres en edad fértil pronto podrían partir por maternidad.
- Las mujeres (y los hombres solteros) con hijos pueden ocupar mucho tiempo enfrentando emergencias domésticas.
- Las mujeres pueden trasladarse repentinamente para apoyar la carrera profesional de su pareja.
- La gente con discapacidad puede costarle dinero a la compañía en términos de adaptación, equipos especiales, etcétera.
- Alguien con alguna discapacidad podría ocupar mucho tiempo enfermo.
- Los candidatos de otros grupos étnicos pueden tener valores culturales que difieren de aquellos de la organización.
- Por el momento aquí no tenemos una mezcla de personal diversa, por lo que los candidatos con otros antecedentes podrían no sentirse cómodos.
- Las cualidades y experiencia adquiridas en otro país probablemente no serán útiles en éste.
- La gente de color es muy agresiva.
- La gente de edad no aprenderá tan rápido.

- La gente de edad no podrá mantener el ritmo de un gerente joven.
- La gente joven es probable que sea inquieta y quiera desplazarse.

Tan irracionales e injustos como resultan estos supuestos, está mejor equipado para lidiar con ellos cuando ya los ha considerado. Obviamente no tiene caso buscar problemas donde no hay: si su prospecto de jefe no muestra preocupaciones (y en un mundo perfecto, éste debería ser el caso), no los plantee.

Las firmas y organizaciones más grandes probablemente tengan establecida una política de diversidad e igualdad de oportunidades. Éste no siempre es el caso en las empresas más pequeñas, pero esto no implica que los grandes empleadores sean buenos en igualdad de oportunidades, mientras que los pequeños son malos. Es fácil tener una política, pero asegurar su implementación es una cuestión diferente. Una firma podría no contar con una política establecida y sin embargo su carácter distintivo, actitud y compromiso respecto a la igualdad de oportunidades podría ser loable y genuina.

La forma en que posiblemente experimente la diferencia entre las dos, si es convocado para una entrevista, es que las organizaciones grandes sean capaces de utilizar personal entrenado para entrevistar, tengan un conjunto de preguntas que realizan a todos los candidatos y estén en una posición donde puedan ser cuestionados para justificar su elección. Cada candidato puede ser comparado contra un criterio de selección específica, de manera que el panel entrevistador puede demostrar que ha elegido al más apto.

## Recomendación efectiva

Si el compromiso con la igualdad de oportunidades es uno de los criterios para el empleo que está solicitando, se lo cuestionarán durante la entrevista. Prepare una respuesta con mucho tiempo. Puede surgir como una reflexión para cuando se esté quedando sin vapor.

**P** Explique lo que entiende por una política de igualdad de oportunidades.

**R** Entiendo que cada empleado y persona con quien lidiemos será tratada justamente, independientemente de su edad, género, orientación sexual, discapacidad, etnia, antecedentes culturales y sociales.

(Preguntas y respuestas como éstas pueden llevarle a sentir que simplemente ha completado una lista de verificación con cada categoría que debería. Una aproximación más significativa que podría encontrar sería la siguiente.)

**P** **¿Qué acciones tomaría para ayudar a implementar nuestra política de igualdad de oportunidades, si le ofrecemos un empleo en este departamento?**

**R** Antes que nada, revisaría toda la información que proporcionamos a nuestros clientes para responder dos preguntas. Primero: si es accesible para todos y, segundo, si contiene imágenes positivas que representan a los distintos grupos de clientes que tenemos. Si la respuesta a cualquiera de estas preguntas fuera "no", entonces buscaría maneras de mejorar el acceso, no sólo en los asuntos de discapacidad, sino en cosas como folletos con diferentes idiomas y mayor información en nuestro sitio web. Ésas sólo son algunas primeras ideas.

Hasta cierto punto, los entrevistadores creen lo que les dice. Esto no significa que simplemente pueda inventar cualquier vieja colección de falsas cualidades y periodos laborales imaginados, pero generalmente no discutirán que una experiencia es insignificante o irrelevante cuando la ha descrito como valiosa. No desafiarán la afirmación de que posee una determinada cualidad, siempre y cuando pueda ofrecer evidencia de alguna ocasión en que la utilizó o la desarrolló.

Por esta razón, entre más positivo sea al lidiar con cualquier duda, abiertamente establecida o entendida durante la entrevista, ofrecerá una mejor impresión. Ser maduro equivale a sabiduría, sentido común y vasta experiencia. Tener antecedentes distintos denota diferentes maneras de ver las cosas, nuevas ideas, remontar obstáculos y la oportunidad de incorporar valiosa diversidad a la fuerza de trabajo. Entrene pensamientos y preparación en esta dirección, y el impulso que esto le dará a su seguridad personal prácticamente garantiza que contagie a los entrevistadores.

# SUMARIO Y RECORDATORIOS

Haga lo que pueda asegurando tener la misma oportunidad de conseguir cualquier posición para la que aplique.

1. Averigue tanto como pueda sobre la actitud hacia la igualdad de oportunidades que tiene su jefe prospectado. ¿Lo mencionan en su anuncio? ¿Tienen una política establecida? ¿Qué clase de imágenes observa en su sitio web y en otra publicidad?
2. Concentre todos sus puntos de venta positivos, tal como lo hizo para cualquiera de los aspectos de la entrevista, pero otorgando especial atención a las áreas que percibe como potencialmente sensibles.
3. Aprenda a ser asertivo y asegúrese de saber cómo distinguir esto de ser agresivo. Evite ser pasivo.
4. Articule sus puntos de venta con confianza.
5. Sea realista. Pudo ofrecer una débil entrevista, pero intente evaluar en dónde verdaderamente descansa el error.
6. Si considera que en realidad ha sido tratado injustamente y en términos discriminativos, entonces busque ayuda profesional.

# Capítulo 11

## Dando vuelta a las circunstancias

Con sus preguntas respondidas,
¿qué necesita saber?

"¿Hay algo que le gustaría preguntarme?". Esta pregunta con frecuencia es realizada hacia el final de la entrevista y es otra de esas cuestiones que preocupan a los candidatos, suponiendo que no pensara en nada; o que tal vez todas las preguntas que ha preparado cuidadosamente han sido respondidas por la extensa y relevante información que le fue entregada durante la entrevista o a través de previas conversaciones informales con otros empleados.

Si en realidad siente que todo lo que desea saber ha quedado completamente cubierto con anterioridad, entonces dígalo tan decentemente como pueda. Algunas versiones al respecto podrían tranquilizar su ansiedad:

Ⓡ Gracias, pero he sido capaz de obtener suficiente en su sitio web, ha sido una manera muy útil de encontrar la respuesta a todas mis preguntas. Es un sitio muy bien diseñado y fácil de navegar.

Ⓡ Su información de reclutamiento para graduados en línea realmente es informativa y responde todas las preguntas que tengo sobre la compañía y su esquema de entrenamiento. Encuentro el perfil de los recién graduados realmente útil. Me gustaría saber un poco más sobre las cualidades profesionales en las que podría trabajar.

Ⓡ Fui capaz de averiguar tanto mediante sus colegas esta mañana cuando tuvimos el recorrido en las oficinas y la línea de producción, que no creo tener más preguntas por el momento para usted, gracias.

No existen premios por realizar preguntas realmente oscuras y difíciles, la menor de las cuales podría hacerlo ver más inteligente que su entrevistador y eso no resulta bien. Si conoce su tasa de rotación anual durante la última década o los nombres de cada miembro del personal en el departamento de puestos, guárdelo para usted y dese cuenta de que con tan brillantemente entrenada memoria podría tener un gran futuro en los concursos para equipos de publicidad.

### ✷ Recomendación efectiva

Aproveche la oportunidad para averiguar más sobre la organización, su trabajo y su potencial rol en ella, recordando que se trata de una oportunidad realmente útil para usted.

No permita que pensar en esta pregunta distraiga su atención durante el resto de la entrevista, preocupándose conforme, una por una, sus preguntas planeadas son respondidas.

Preparar desde antes la entrevista puede ayudarlo a pensar en algunas preguntas sensibles para indicar qué tanto es inteligente en su aproximación al trabajo, así como que ha pensado seriamente sobre un posible futuro en ese establecimiento, sus necesidades de entrenamiento, sus prospectos y la manera en que la compañía podría recompensar sus esfuerzos. La mayoría de la entrevista está dedicada a permitir que la compañía evalúe si considera que tiene lo necesario. Es perfectamente razonable que quiera saber si ellos tienen lo necesario para satisfacer sus elecciones, ambiciones y metas.

Utilice las siguientes preguntas para desarrollar sus propias preguntas relacionadas específicamente con el empleo para el que está aplicando.

Ⓟ ¿Cuáles son algunos de sus grandes proyectos actuales?

Ⓟ ¿Qué proyectos/campañas/desarrollos han planeado de los que puedan hablar?

Ⓟ ¿En qué proyectos estaría trabajando inicialmente el candidato exitoso?

Ⓟ ¿Cómo visualizan su mercado sosteniéndose en la actual situación económica?

Ⓟ ¿Hasta qué punto es probable que esté trabajando por mi cuenta?

Ⓟ ¿Hasta qué punto es probable que esté trabajando como parte de un equipo? ¿Está el personal involucrado en más de un proyecto en equipo al mismo tiempo?

Ⓟ ¿Hasta qué punto tendría la oportunidad de aprovechar y desarrollar mis habilidades de lenguaje?

(Aquí claramente puede sustituir cualquier habilidad relevante: diseño web, supervisión, investigación, técnico, emprendedor, etc., cualesquiera que sean pertinentes y lógicas para usted, pueden ser desarrolladas como parte de su papel en la organización.)

Ⓟ ¿Qué clase de entrenamiento tendré la oportunidad de tomar si se me ofrece este empleo?

(Debería ser capaz de hacer esta mención del entrenamiento más específicamente, por ejemplo, entrenamiento administrativo, en sistemas de cómputo, atención al cliente o lo que sea relevante para la posición respectiva.)

Ⓟ ¿Estimulan al personal para obtener cualidades profesionales relevantes?

Ⓟ En caso de existir, ¿qué apoyo ofrecen al personal que adquiere más cualidades profesionales?

Ⓟ ¿Cuál es su política para el desarrollo de personal?

Ⓟ ¿Cuánto contacto es probable que tenga con otros departamentos/organizaciones externas/clientes?

(P)  ¿Hay algún modelo administrativo que favorezcan en particular?

(P)  ¿En cuál de sus oficinas está basada inicialmente la posición?

(P)  ¿Cuánta autonomía puedo esperar que se me ofrezca en el trabajo?

(P)  ¿Qué requerimientos existen para ser geográficamente móvil?

(P)  ¿Qué tan pronto podría esperar que me transfieran?

(P)  ¿Es posible que haya oportunidades de viaje fuera y dentro del Reino Unido?

(P)  Aproximadamente, ¿qué salario inicial tienen en mente?

(P)  ¿Las revisiones de salario están relacionadas con el desempeño?

(P)  ¿Cuándo podría esperar mi primera revisión de salario?

(P)  ¿Qué progresión de salario podría, razonablemente, esperar durante los primeros tres años?

## Recomendación efectiva

Puede generar una buena impresión si realiza sus preguntas sobre el salario más allá de su inmediata remuneración inicial, relacionando la discusión con marcos de tiempo más largos y sonando seguro de que su propio desempeño puede ser una gran estrategia. También es completamente comprensible y esperado que quiera saber cuánto se le pagará.

(P)  ¿Poseen un sistema formal de evaluación?

(P)  ¿Cómo miden y monitorean el desempeño del personal?

**P** ¿Si todo sale bien, dónde podría esperar encontrarme en dos/tres/cinco años?

**P** ¿Qué tan pronto podría, razonablemente, esperar una promoción?

**P** ¿Cuáles son algunos de los típicos caminos que han seguido los graduados durante los últimos dos años?

## Pesadilla a evitar

Un candidato dejó ver durante una entrevista que había aplicado para un trabajo con un empleador en particular, porque el trabajo lo cansaba y pensó que sería la clase de lugar donde podría obtener un poco de descanso. Por supuesto que no se le ofreció el empleo.

**P** Aproximadamente, ¿cuántas horas a la semana espera que trabaje el personal empleado a este nivel?

**P** ¿Poseen una política con horas flexibles de trabajo?

**P** ¿Tiene ejemplos de personal que haya sido capaz de trabajar con horas flexibles?

**P** ¿Qué tan efectiva ha resultado su política de igualdad de oportunidades?

**P** ¿Qué opinan de alguien que desea trabajar después de la edad de retiro obligatorio?

**P** ¿La gente aquí tiende a socializar fuera del trabajo?

## Recomendación efectiva

Asegúrese de saber lo que significa *cultura organizacional*: es la combinación de actitudes, carácter distintivo y valores de una organización. Las respuestas a sus preguntas sobre flexibilidad, compromiso para capacitar y estímulo para ocupar sus propias ideas le dan pistas sobre cuál es la cultura.

Puede tener preguntas relacionadas con asuntos tales como alojamiento o el costo de la vida en el área, disponibilidad de vivienda apropiada, escuelas locales, etc., si tuviera que trasladarse para aceptar el empleo. No es irracional preguntar sobre estas cosas, pero no se distraiga mucho en estos temas. Ésta es en gran medida la clase de información que puede obtener con otros miembros del personal, ya sea antes o después de su entrevista, en un contexto más informal.

## FÁCIL Y AGRADABLE

Una entrevista en apariencia fácil no necesariamente es agradable. Una situación que puede parecer un poco sorpresiva es la entrevista donde siente que no se le ha preguntado gran cosa, ni se le ha leído la cartilla como lo suponía y se había preparado. Tras el alivio inicial de unos cuantos minutos en la entrevista, debería empezar a considerar lo que esté sucediendo y si existe algo que puede o debe hacer al respecto. Hay varias posibles explicaciones para que la entrevista se lleve a cabo en esta forma.

El primer y más pesimista pronóstico es que el entrevistador ya se desconectó y no invertirá mayor energía en saber más. Tal vez ya vieron a un candidato que los impresionó tanto que todos sus esfuerzos son en vano. Podría ser que ese vínculo, esa chispa, sencillamente no se encuentre ahí. Generalmente, puede pensar que éste es el caso porque la entrevista resulta corta, le cuestionan con pocas preguntas de seguimiento y no es invitado a extender sus respuestas. Aún más, el instinto le sugiere que se trata de una causa perdida.

Hay una segunda y más optimista posibilidad: imagine que hizo muy buena química con su entrevistador y es el candidato que hará inútil el esfuerzo de los demás. Su futuro jefe está convencido de que es el recluta ideal, y además de asegurar que no existe gato encerrado, no ve la necesidad de continuar con el asunto.

Tan encantador como suena este escenario, no se permita caer en un estado de absoluta certidumbre. Continúe invirtiendo un verdadero esfuerzo en su desempeño, otro candidato entusiasta podría estar a punto de entrar a la habitación tan pronto usted salga.

Además de las dos razones anteriores, existe la baja posibilidad de que el entrevistador simplemente no sea hábil para preguntar: podría haber tenido una limitada experiencia conduciendo entrevistas y no estar consciente de cómo obtener la información correcta. Es menos probable que se encuentre con esta situación si es convocado por una gran compañía u organización, donde existe un departamento de Recursos Humanos y los gerentes están capacitados y experimentados en todos los aspectos del proceso selectivo. Podría encontrar entrevistadores inexperimentados en una empresa pequeña o cuando se presenta a una entrevista técnica, después de haber resultado exitoso en su primera entrevista. Asimismo, podría ser el primer candidato de alguien o tal vez esté agotado por años y años de entrevistar reclutas.

La última opción es aquella donde existe una mayor oportunidad de que tome la iniciativa, la primera probablemente se trate de una causa perdida, y con la segunda no tiene mucho de qué preocuparse. La razón por la que debe tomar la iniciativa es que existe la buena sensación de que sale de una entrevista, habiendo aprendido todo sobre la historia de la compañía y las circunstancias personales de su entrevistador, pero si de igual forma han tratado a los otros candidatos, ¿cómo llevan a cabo la selección después de haber visto a cada uno?

He aquí algunas posibles preguntas o comentarios que podría realizar para empezar a distinguirse entre la multitud. Debe asegurarse de no ofender al entrevistador cortándole la inspiración, así que espere una pausa, pero manteniéndose preparado para actuar rápidamente antes de que vuelva a comenzar.

## Recomendación efectiva

Ofrezca una buena impresión con su entusiasmo. Muéstrese siempre fascinado por lo que está diciendo su entrevistador, incluso cuando esté divagando y se sienta frustrado por no ser capaz de venderse. Inclínese hacia el frente y muéstrese interesado; esto también da la pauta de que quiere decir algo.

**P** Suena como si la compañía hubiese tenido una historia realmente interesante. ¿Hacia dónde la visualiza en uno o dos años?

Ⓟ Parece que realmente disfruta trabajar aquí. ¿Con quién estaría trabajando si me contratan?

Ⓡ Sí, su última gama de productos es impresionante; lo que me gusta de ella en particular son...

Ⓡ Es interesante que comente su preferencia para trabajar en una empresa más pequeña como ésta. Realmente me gustaría desplazarme a una empresa más pequeña, donde cualesquiera que fueran mis responsabilidades, pudiera sentirme bastante más involucrado y con un mayor entendimiento de todo lo que hacemos, en muy buena medida describiendo de esa forma su papel aquí.

Ⓡ Lo que comenta sobre ese reciente proyecto realmente suena interesante. Disfruté mucho el proyecto de mercadotecnia que realicé al final de mi carrera, porque me llevó fuera de la universidad y me ofreció oportunidad de conocer a gente de la industria. Me dio una verdadera base de comparación cuando comencé a presentar mis aplicaciones de empleo y aunque no visité su empresa como parte de mi proyecto, realmente me agradó lo que averigüé y, en particular, toda la información útil que me han ofrecido esta mañana.

## ✳ Recomendación efectiva

También puede tomar la oportunidad cuando le digan "¿Hay algo más que le gustaría preguntarme?". Invierta la situación con una respuesta como alguna de las siguientes.

Ⓡ Bueno, en realidad no tengo ninguna pregunta, ya que me han ofrecido una gran cantidad de información útil, pero hay uno o dos puntos que de ser posible me gustaría plantear y que subrayan algunos aspectos de mi empleo actual, que resultan extremadamente relevantes para el puesto que estoy aplicando.

Ⓡ No precisamente preguntas, pero me gustaría comentarle un poco más sobre un proyecto que emprendí mientras era estudiante y que consideraba cómo desarrollar una mejor atención posterior al cliente para servicios como el que ustedes proporcionan.

## Pesadilla a evitar

Un candidato llevó su búsqueda de control a tal punto que decidió murmurar la palabra "yo" cada vez que el entrevistador utilizaba frases tales como "la persona que citamos" o "el candidato exitoso". Su intento por llegar a los niveles más profundos en el inconsciente de su entrevistador de ninguna manera hizo bien, dado que asumió que en el mejor de los casos era un poco raro y en el peor... bueno, siniestro sería subestimarlo.

 ## Recomendación efectiva

En una buena entrevista, usted, el candidato, debería estar hablando un 80 % del tiempo. Nuevamente, es una de esas situaciones en las que más bien está en las manos de su interlocutor. Confíe en sus propias habilidades de comunicación, intuición y sentido común, para juzgar cuándo es aceptable tomar el control de la conversación y empezar a agregar sus propias observaciones. Si el entrevistador no le ha dado la oportunidad de brillar, recuerde que él o ella pueden haber estado entrevistando todo el día, así que tome la iniciativa.

## REUNIENDO INFORMACIÓN. USTED BAJO EL REFLECTOR

Hay un tipo de entrevistas donde tiene bastante control: aquellas para reunir información. En dichas ocasiones establece la entrevista para saber más de alguna organización en particular o con mayor frecuencia, algún tipo de trabajo en particular: supervisor cuantitativo, comprador detallista, terapeuta ocupacional o curador de meteoritos (sí, tal empleo existe).

Estas entrevistas para reunir información son especialmente útiles cuando se encuentra en el punto de tomar una decisión profesional, sea para dejar la escuela, la universidad o un cambio de dirección en algún momento de su carrera.

Arregle la entrevista personalmente, solicitando que alguien ocupe un poco de su tiempo para comentarle su trabajo y lo que implica. Puede realizar esto escribiendo o telefoneando a personas probables u organizaciones o, si tiene suerte, puede tener amigos o contactos de su profesión que le pueden ayudar con esto.

## Recomendación efectiva

Averiguar información de esta manera puede ahorrarle horas de investigación en línea, en el teléfono o en papel. No tema intentar esto, es sorprendente el número de personas, inclusive ocupadas, que están gustosas de hablar de su trabajo.

También puede conseguir clases de información positiva y negativa, que nunca obtendría de ninguna otra fuente, siempre y cuando mantenga en mente que esta información es subjetiva y coloreada con las propias opiniones y experiencias de su entrevistador.

## Pesadilla a evitar

Un candidato, mientras consideraba entrenamiento para obstetricia, telefoneó a lo que creyó era tal departamento de su hospital local, y preguntó si podría ir para hablar del trabajo y tal vez ayudar un poco en el departamento. De hecho se había contactado a través de la librería de la universidad local, donde el bibliotecario rápidamente accedió a su solicitud. No fue sino hasta que dijo desear observar algunos nacimientos, tal vez incluyendo al menos una cesárea, que la ilusión se terminó. Si está arreglando hablar con alguien sobre su trabajo y su carrera, asegúrese de saber con quién está hablando.

Si decide organizar algunas de estas entrevistas por su cuenta, encontrará útil el capítulo 3 para planear sus preguntas. Claro que su reunión de información no será tan formal, pero las preguntas planeadas actúan como buenos indicadores y ofrecen la impresión de que valora el tiempo de alguien. También ayudan para asegurarse obtener el tipo de información que en realidad va a serle útil.

He aquí algunos ejemplos de preguntas que pueden ayudarle a mantener en marcha la conversación. Recuerde no plantear ninguna pregunta cerrada que deje a alguien con la opción de simplemente decir "sí" o "no".

**P** ¿Hace cuánto trabaja aquí?

**P** ¿Qué involucra su trabajo diario?

**P** ¿Podría describirme un día o una semana típica, de existir tal cosa en este empleo?

**P** ¿Qué le agrada más de trabajar aquí?

**P** ¿Cuáles son las cosas más difíciles de manejar en su empleo?

**P** ¿Qué tan típica considera que sea esta firma/escuela/servicio civil departamento/agencia? ¿Ha trabajado para alguna otra?

**P** ¿Cómo describiría el estilo de administración aquí?

**P** ¿Recomendaría a alguien incorporarse en esta profesión?

**P** ¿Qué supone que se necesite para ser realmente exitoso en esta profesión?

**P** ¿Cómo son las oportunidades para progresar profesionalmente, ya sea aquí o desplazándose a organizaciones similares?

**P** ¿Cómo es la atmósfera de trabajo aquí? ¿Tiende a socializar con sus colegas fuera del horario de trabajo?

**P** ¿Hay muchas oportunidades de conseguir entrenamiento? ¿Qué clase de actitud existe respecto al desarrollo del personal?

**P** ¿Cuáles son los principales asuntos que considera debe enfrentar esta profesión/compañía/negocio durante los próximos años?

**P** ¿Qué cambios significativos ha observado desde que comenzó a trabajar en esta profesión/industria?

**P** ¿Cuáles espera que sean los cambios más significativos que se llevarán a cabo durante la próxima década?

**P** ¿Qué consejo le daría a alguien en mi posición, si deseara adquirir más experiencia?

Además de volverse mejor informado conduciendo tales entrevistas, también existe una posibilidad de invertir la situación a su favor haciendo útiles contactos que, incluso de no estar en la posición de ofrecerle un empleo ahí, están suficientemente impresionados para tenerlo en mente o ponerse en contacto con sus propios conocidos, que podrían ser capaces de ofrecerle algo. Puede comenzar a construir una red de su profesión seleccionada, que llevará a futuras entrevistas de selección en lugar de informativas.

Sea agradable, persistente y entusiasta en la búsqueda de esta información, en realidad vale la pena el tiempo y la monserga.

## SUMARIO Y RECORDATORIOS

No sea sorprendido sin darse cuenta, repentinamente debiendo cuestionar en lugar de responder preguntas. Los beneficios de ser capaz de realizar preguntas son dobles: puede encontrar respuestas a cosas que realmente desea saber y puede estar seguro de ser un candidato pensante y con confianza.

1. Prepare sus preguntas anticipadamente, pero no cuestione por el solo hecho de hacerlo.
2. Recuerde sus principales puntos de venta, de manera que si nadie pregunta por ellos, esté preparado para aprovechar las oportunidades de mencionarlos.
3. Recuerde que estas situaciones proporcionan una maravillosa oportunidad de mostrar sus excelentes habilidades interpersonales.

# Capítulo 12

## Y finalmente

Aprendiendo de cada entrevista, planeando el éxito futuro y manejando entrevistas menos comunes

Terminó la entrevista y, a diferencia de los exámenes, no encuentra al resto de los candidatos en el corredor diciendo que han revisado la parte equivocada o que no pueden creer lo sencillo que fue. Incluso evita a la persona que declara haber reprobado y que toda la situación resultó un desastre, mientras que usted y los demás en la clase saben que obtendrán la mejor calificación del año.

Goza del lujo de lidiar con sus reacciones en privado, pero la mayoría de las veces también tiene la ansiedad de una espera entre algunas horas y unos cuantos días. Esto depende de si, y cuándo, estarán viendo a otros candidatos y de si también existe otro personal involucrado en la decisión (tal vez Recursos Humanos, Finanzas u otros gerentes de línea, tengan algo que decir).

Cualquiera que sea la situación, no permita que su desempeño se desintegre en los últimos minutos de la entrevista, a través de un sentido de alivio, optimismo, pesimismo o agotamiento. Manténgase chispeante hasta que el último apretón de manos y la sonrisa de despedida hayan terminado, con la puerta de la sala de entrevistas cerrada firmemente tras de usted.

Los entrevistadores pensantes recordarán comentarle cuál probablemente será el marco de tiempo para su decisión y cuándo y cómo los candidatos exitosos serán informados, así como si también contactarán o no a los candidatos sin éxito.

218

## ✳ Recomendación efectiva

Si los entrevistadores no le dicen qué esperar, tome valor para preguntarlo al final de la entrevista, le hace sonar positivo y seguro. No insista demasiado si parece como sacar los dientes.

**ⓟ** Por favor, ¿cuándo estarán en posibilidad de dejarme saber el resultado de esta entrevista?

**ⓟ** ¿Normalmente telefonean, envían un correo electrónico o escriben al candidato exitoso?

(Esperemos que no sólo envíen un mensaje de texto, especialmente si no resulta el candidato exitoso.)

**ⓟ** ¿Generalmente contactan a los candidatos que no resultaron exitosos?

**ⓟ** ¿Tienen mi número de teléfono, de celular, etc., si necesitan ponerse en contacto conmigo?

## Pesadilla a evitar

Un candidato estaba tan desesperado por saber el resultado de su entrevista que comentó al panel que esa tarde salía de vacaciones durante tres semanas, por lo que deseaba saber si era posible que se lo dejaran saber ya. Él no era y se lo dijeron. No obtuvo el empleo.

Si sabe que otros candidatos serán vistos durante los próximos días, podría escribir una carta después de su entrevista, agradeciendo al entrevistador por su tiempo, estableciendo lo que le interesó, confirmando su entusiasmo por el empleo y recordándole sus puntos de venta. Una carta como ésta es poco probable que incline la decisión en un sentido o en otro, pero no puede causar daño y podría simplemente colocarlo en el fondo de su mente al momento de listar a todos los candidatos y revisar sus notas.

Siempre dé las gracias a sus entrevistadores antes de partir, mantenga su serena y despreocupada confianza, comentándoles que ha encontrado la entrevista interesante/muy útil/agradable; ha confirmado y aumentado su interés en el puesto, el trabajo, la organización, cualquier frase que pueda encontrar que no suene ni muy falsa, ni muy suplicante, pero que deja una impresión positiva una vez que parte.

Existen dos resultados comunes para cualquier entrevista de trabajo: ya sea que obtenga el empleo o que no. Hay otras: es la segunda elección y la primera los defraudó; ahora no pueden ofrecerle nada, pero de poder lo harán en el futuro, etc.; aunque esto constituye la minoría de los casos.

## Recomendación efectiva

Si le ofrecen el trabajo en el momento, es mejor aceptarlo con entusiasmo (a menos, claro, que definitivamente no esté interesado). Necesita mostrarse decisivo (especialmente si ha dicho ser bueno para tomar decisiones), pues parecer vacilante no funciona bien. Podría pasar la velada pensando al respecto, platicándolo con familiares y amigos, pero si se muestra indeciso en la entrevista, podría perder el tren. Una palabra de advertencia: no ofrezca su aceptación por escrito a menos que esté verdaderamente seguro de querer el empleo.

No obtener el empleo, particularmente si se trata de uno que realmente deseaba mucho, es una experiencia devastadora, pero no debe permitir que su decepción empañe su rendimiento en futuras entrevistas. El siguiente consejo y sugerencia para evaluar su planeación y desempeño en el futuro le ayudará obteniendo y aprendiendo de cada entrevista a la que le presente.

Si no le ofrecen el trabajo, es esencial no asumir que se debe a que es un fracaso sin esperanza. Pocos de nosotros tenemos sólo a un amigo, soñamos únicamente con un destino vacacional o nos sentimos tentados por un solo platillo del menú. Entonces, ¿por qué debería un solo candidato ser el adecuado para algún empleo?

Entre las muchas razones potenciales para que no le ofrezcan el empleo después de la entrevista están:

1. Estuvo bien, pero otro candidato fue mejor.
2. Tal vez hubiera sido el mejor individuo para el trabajo, pero los entrevistadores siempre son una subjetiva herramienta de selección y no siempre llegan a seleccionar a la persona más adecuada.

3. Usted y el entrevistador simplemente no establecieron un vínculo.

4. Fue una situación muy pareja entre usted y otro candidato y, al final, la selección se vio tan favorecida por el juicio como por la suerte.

5. Otros candidatos estaban mejor preparados, en general, para la entrevista y fueron bastante más capaces para trasmitir su idoneidad al entrevistador.

6. El (los) seleccionador(es) decidieron que en esta ocasión ninguno de los candidatos era adecuado.

7. Hubo preguntas en la entrevista que encontró difíciles de responder.

8. Su desempeño general en la entrevista no resultó efectivo, simplemente fue uno de esos días sin mayor chispa.

Muchas de las razones anteriores están fuera de su control, pero está bien colocado para abordar las últimas dos, examinando lo bien preparado que estaba en general y cuestionándose si hubo preguntas específicas que pudo responder con más efectividad y estilo, de haber estado mejor armado para enfrentarlas.

Es difícil cuando acaba de salir de la entrevista porque aunque está fresca en su mente, está fatigado y cualquier corazonada que tenga sobre el resultado, en realidad desconoce si ha sido exitoso o no. De cualquier forma, debe aprovechar esta experiencia mientras se mantenga fresca en su mente, para reposar por un momento, reflexionar tranquilamente sobre su desempeño y asegurarse de que, de ser necesario, la próxima vez podrá hacerlo mejor.

En ocasiones los entrevistadores amables te proporcionarán retroalimentación. Esto es muy valioso, pero de ninguna manera disponible automáticamente.

## Recomendación efectiva

Deje claro que desea ser flexible respecto al tiempo para obtener esta retroalimentación. Primero querrán hablar con el candidato favorecido. Exprese su aprecio porque estén preparados para ofrecer retroalimentación a los candidatos.

Tras terminar la entrevista y permitirse por lo menos una taza de té, café, una barra de chocolate o cualquiera que sea su indulgencia en particular, revise su entrevista minuciosamente:

- ¿Cuáles eran los nombres y posiciones de la persona o personas que lo entrevistaron? Podría estar hablando nuevamente con ellos.
- ¿Cuál fue el trato acordado para informar a los candidatos el resultado?
- ¿Es probable que exista una entrevista de seguimiento, una prueba de personalidad o aptitudes, o cualquier otra forma adicional de selección para agregarse a esta primera entrevista?
- ¿Hubo preguntas para las que no estaba bien preparado? ¿Cómo las prepararía para el futuro?
- ¿Hubo preguntas que contestó correctamente? A sus ojos, ¿qué hizo de esto un éxito y cómo puede transferirlo a sus debilidades?
- ¿Qué tanto participaron los nervios en su desempeño?
- ¿Averiguó si es probable que otras oportunidades surjan con la organización, incluso de no haber resultado exitoso esta vez?
- ¿Fue capaz de obtener respuestas satisfactorias a sus propias preguntas?
- ¿Qué impresión cree haber dejado durante la entrevista? ¿Fue callado y tímido o se comportó seguro y amistosamente?
- ¿Cuál fue la pregunta más complicada que tuvo que responder?
- ¿Aprovechó la oportunidad para asegurarse de plantear sus puntos de venta clave?
- ¿En realidad le hubiera agradado obtener el empleo?
- ¿Obtuvo alguna nueva percepción de la organización, de su trabajo, de su carrera de elección?
- ¿Ha obtenido alguna nueva revelación personal?

El caso de revisar estas preguntas no es impulsarlo entre olas masoquistas de incertidumbre personal y melancolía, de hecho tampoco para confirmar que todos los entrevistadores son hoscos y necios y simplemente no vieron la maravillosa y capaz persona que en realidad es. Más bien, es para asegurar que ofrezca incluso un mejor desempeño la siguiente vez.

En un mundo perfecto seríamos capaces de poner a prueba nuestras técnicas de entrevista con los jefes que en realidad no representan nuestra primera opción, de manera que sirvieran como ensayo para aquellos que verdaderamente nos preocupan. La providencia no siempre es tan generosa, por lo que debe tratar cada entrevista como si en realidad fuese importante, después de todo, siempre puede dejar el empleo cuando el empleador no lo convence.

Habiendo examinado su desempeño con las preguntas anteriores, tome nota de esto y formule un plan de acción para enriquecer su futuro éxito en las entrevistas:

- ¿Qué investigaciones debo realizar la próxima vez y qué recursos puedo utilizar?
- ¿Para qué preguntas necesito formular mejores respuestas?
- ¿Hay aspectos de mi desempeño personal que debo mejorar, por ejemplo, ser más asertivo, procurar hacer más por controlar mis nervios?

## LA MISMA HORA, PERO DIFERENTE LUGAR

Mientras que aún es muy probable ser entrevistado en la oficina de quien podría ser su jefe, quedan otras posibilidades. Puede ser invitado para una entrevista en un lugar más informal como un hotel o un restaurante, y algunos empleadores no utilizan instalaciones para nada, lo entrevistan por teléfono o videoconferencia.

## NO CUELGUE

Las entrevistas telefónicas son usadas por grandes organizaciones que están reclutando varios trabajadores al mismo tiempo y pueden aprovechar la relativamente breve conversación telefónica como primer etapa de selección (más comúnmente tras la recepción de un CV o un formulario de aplicación), o por empresas reclutando personal cuyo trabajo requerirá de tener buenos modales al teléfono: televentas o un centro de atención, por ejemplo.

 ## Recomendación efectiva

- Prepárese tan minuciosa y cuidadosamente como lo haría para cualquier otra entrevista.
- Conserve una lista de aplicaciones que haya hecho cercana al teléfono, para no ser sorprendido sin darse cuenta.
- Asegúrese de haber apartado suficiente tiempo.
- Asegúrese de contar con un lugar silencioso para hablar, de manera que se pueda concentrar.
- No tome la entrevista con menor seriedad por no verse obligado a vestir formalmente.
- No esté alrededor de personas que lo puedan distraer.

Realmente piense en cómo suena. Por teléfono no puede confiar en ninguno de los indicios ni señales no verbales que normalmente ofrecería: su amigable sonrisa, su firme saludo, la seguridad con la que toma asiento o su forma de mantener un buen contacto visual con el interlocutor. Necesita concentrarse en demostrar sentimiento y entusiasmo con su tono de voz. Obviamente también debe aprovechar esto en las entrevistas ordinarias, pero resulta todavía más importante cuando su voz es todo lo que el entrevistador tiene para continuar, independientemente de lo escrito en su CV.

 ## Recomendación efectiva

Incremente su confianza al teléfono. Consiga a un amigo para que le ayude con este ejercicio. Ya sea que lo telefonee o, si están en la misma habitación, siéntense espalda con espalda para eliminar cualquier indicio visual. Seleccionen algunas palabras completamente neutrales, por ejemplo, números entre uno y veinte. Piensen en una emoción y digan alguna de estas palabras neutrales, procurando trasmitir ese sentimiento de placer, irritación, entusiasmo, ira, etc., y observe si el amigo puede etiquetar correctamente las emociones. Al hablar con empleadores, concéntrese en el placer y entusiasmo, la ira e irritación sólo son para ayudar a desarrollar su técnica.

Puede sentirse tonto, pero también podría intentar llamar a su propia contestadora y dejar un mensaje, sólo para escuchar cómo suena. Debería ensayar exactamente lo que va a decir al principio de la llamada, especialmente si se le ha solicitado telefonear al jefe; la impresión que ofrezca al presentarse es muy importante.

Si está iniciando lo que podría convertirse en una entrevista telefónica, por ejemplo, hablándole a un jefe para ver si tiene vacantes o únicamente para preguntar con quién debería dirigir sus dudas, también debería contar con un "guión" preparado. Pudo comunicarse en un momento oportuno cuando están pensando en expandirse o cuando un miembro del personal acaba de renunciar y su tentativa duda podría instantáneamente convertirse en una entrevista de selección.

Las entrevistas telefónicas son bastante difíciles, pero mire el lado positivo: al menos no debe invertir dinero ni tiempo en su vestimenta.

##  Recomendación efectiva

Ofrezca una gran impresión mostrando confianza en sus puntos de venta. Su "guión" debería ser como los puntos esenciales de su CV, aunque en particular concéntrese en lo que le parece atractivo del empleo/compañía/tipo de trabajo, más su experiencia y sus cualidades relevantes, su idoneidad y motivación. La parte difícil es acomodar eso en menos de 30 segundos, pero vale la pena llevarlo a cabo y practicarlo. Los amigos, que se encuentran a la mano en tantos aspectos para la preparación de entrevistas, nuevamente pueden ayudarle.

## Pesadilla a evitar

Varios candidatos telefónicos han estado tan determinados a entregarse a sus guiones, que han olvidado cerciorarse de quién se encuentra al otro lado de la línea. Su comida rápida no llegará antes porque el restaurante local ahora sepa que es un tecnólogo ambiental altamente motivado y completamente calificado y el contratista de limpieza pueda considerar que suena encantador, pero es poco probable que tenga el poder para ofrecerle empleo.

# UN DESEMPEÑO DIGNO DE GANAR EL ÓSCAR

Si es un entusiasta del 3G en su teléfono celular o ha realizado algunas filmaciones de video para su propio sitio web, entonces verse entrevistado en una videoconferencia puede no ser su peor pesadilla, pero la mayoría de los candidatos, por muy tecnoletrados que puedan ser, encuentran la idea intimidante. La tecnología de la comunicación facilita a los jefes la utilización de videoentrevistas en algunas situaciones. En particular, son utilizadas por compañías que reclutan en el extranjero y para las que resulta bastante más económico establecer una conexión de video que enviar un panel de entrevista al otro lado del mundo.

Las videoconferencias son mucho más como entrevistas personales que telefónicas y puede llevarlas a cabo en pijama o ropa deportiva. La gran equivocación que cometen los candidatos cuando enfrentan esta clase de selección es una tendencia a observar lo que está sucediendo en la pantalla, en lugar de mirar a la cámara. Fuera de esto, simplemente debe abordar las cuestiones en exactamente la misma forma que lo haría si su entrevistador estuviera en la habitación.

Uno de los desafíos en estas entrevistas es que puede ser mucho más difícil construir un vínculo, incluso si su entrevistador proporciona las mismas señales lingüísticas que en otras situaciones. Procurar ser natural, hablar claramente y de poder, coloca un poco de virtud a todo el asunto.

## COMA, BEBA Y SEA SENSIBLE

La mayoría de las entrevistas tienen lugar en las oficinas. En ocasiones pueden parecer armarios de limpieza, pero aún siguen siendo instalaciones oficiales de trabajo. Algunas entrevistas se llevan a cabo en cafés, restaurantes y bares, colocando a los candidatos bajo considerable presión, pues todavía quiere establecer sus puntos de venta y convencer a su interlocutor de que es la persona adecuada para el empleo, mientras decide qué tan caro elije un platillo del menú, su actitud respecto al consumo de alcohol y si comentarle o no, que tiene perejil entre los dientes. Encima de todo esto, no quiere que todos lo escuchen explicando por qué es el mejor administrador de inversiones, analista de pensiones, negociante de futuros financieros que jamás haya existido. (Estos ejemplos han sido utilizados porque este tipo de reclutamiento no es común para los maestros, enfermeras o celador.) Mantenga los dedos cruzados para que en esta ocasión nadie entre el público sea su amigo o colega.

Aquí el único consejo que realmente puede ayudar es adherirse rigurosamente a todas las reglas de cortesía que aplicarían cuando sale a comer o beber.

## QUÉ HACER Y QUÉ NO

- No ordene el platillo más caro del menú.
- No ordene nada que pueda resultar desaliñado y preocupante para usted.
- No ordene nada que no conozca.
- Recuerde toda su preparación normal para las entrevistas.
- Tome la iniciativa ante sus anfitriones/entrevistadores para las bebidas, número de platillos a ordenar, etcétera.
- Evite el alcohol, excepto en cantidades muy pequeñas.
- Permítale a su anfitrión/entrevistador saber con anticipación si tiene requerimientos de dieta especiales, por ejemplo, ser vegetariano.
- Procure disfrutar su comida. ¡No siempre es fácil!

Tenga en mente que su interlocutor, incluso cuando la haya llamado una reunión informal o una amistosa conversación, está trabajando arduamente para evaluar si es la persona adecuada y si encajará.

Incluso más extraña que la entrevista "informal" es la sumamente desconcertante situación donde, por ejemplo, dos candidatos son entrevistados al mismo tiempo –sí, en la misma habitación– y deben competir ofreciendo la mejor impresión. Hay instancias de agencias publicitarias o consultorías en relaciones públicas que utilizan esta técnica, pero es tan poco común que no necesita quedarse despierto toda la noche preguntándose si le sucederá a usted. De ser así, aplican exactamente las mismas reglas que para cualquier otra entrevista, sólo que asertividad y seguridad personal serán dos habilidades evaluadas muy directamente.

## LA SITUACIÓN MEJORA TODO EL TIEMPO

Sin duda alguna, la técnica de entrevista es algo que puede mejorar con la práctica, y las entrevistas de trabajo son algo que enfrentamos a lo largo de nuestra de vida laboral. La mayor parte de las entrevistas ocurren por las mejores razones: desea un cambio, progreso, desafíos o terminó su educación o entrenamiento. Incluso esas entrevistas a las que se ha visto obligado a acudir, tal vez por la pérdida del empleo o algún otro infortunio, al menos son evidencia de que se desplaza en la dirección correcta, de que está diciendo lo correcto en su aplicación por escrito.

## SUMARIO Y RECORDATORIOS

Cuando ha estado en una entrevista –a menos que haya resultado exitoso, y ocurrirá en algún momento– siga los siguientes pasos.

1. ¡No se complique la vida!
2. Sea honesto con usted mismo acerca de su potencial e idoneidad para la siguiente aplicación que presente.
3. Asegúrese de haber llevado a cabo cualquier investigación razonable sobre el trabajo, la organización y el puesto específico para el que ha aplicado.
4. Practique su técnica de entrevistas con un amigo, en especial aquellas preguntas que le han sorprendido anteriormente.
5. Es difícil, pero procure ver hacia adelante durante la entrevista y tómela como algo que disfrutará.
6. Sea filosófico. Si no obtiene ésta, de cualquier forma tal vez ni siquiera le hubiera gustado el empleo y siempre existirán más entrevistas.

Recuerde el consejo de Henry Ford: cada falla es sólo una oportunidad de volver a empezar, pero esta vez con más inteligencia.

La suerte, providencia, destino, o como quiera que desee llamarlo, siempre juega un papel en las entrevistas y búsquedas de empleo, así que ojalá esté de su lado para ofrecerle ese último empujón y apoyar todo su arduo trabajo, preparación minuciosa y desempeño efectivo.

# Índice de preguntas

## PREGUNTAS SOBRE EDUCACIÓN Y CUALIDADES

## PREGUNTAS SOBRE EXPERIENCIA
## E HISTORIAL LABORAL

## PREGUNTAS PARA DETERMINAR LO QUE SABE SOBRE LA ORGANIZACIÓN PARA LA QUE ESTÁ APLICANDO

## PREGUNTAS SOBRE ELECCIÓN
## Y CAMBIO DE CARRERA

## PREGUNTAS SOBRE AMBICIÓN, MOTIVACIÓN Y PROMOCIÓN

## PREGUNTAS QUE EVALÚAN SU HABILIDAD PARA CUMPLIR REQUERIMIENTOS LABORALES ESPECÍFICOS

## PREGUNTAS CONCERNIENTES
## A DEBILIDADES Y FRACASOS PERCIBIDOS

## PREGUNTAS RESPECTO A ESCENARIOS O RESOLUCIÓN DE PROBLEMAS

## PREGUNTAS DE ASUNTOS ACTUALES

## PREGUNTAS CONCERNIENTES A IGUALDAD DE OPORTUNIDADES (ALGUNAS ILEGALES)

## PREGUNTAS PARA ENVOLVER LAS COSAS

La publicación de esta obra la realizó
Editorial Trillas, S. A. de C. V.

División Administrativa, Av. Río Churubusco 385,
Col. Gral. Pedro María Anaya, C. P. 03340, México, D. F.
Tel. 56884233, FAX 56041364

División Logística, Calzada de la Viga 1132, C. P. 09439
México, D. F. Tel. 56330995, FAX 56330870

Esta obra se imprimió
el 17 de junio de 2013, en los talleres de
Programas Educativos, S. A. de C. V.

B 90 TASS